DX時代のITエンジニアのライフシフト

Life Shift of Information Technology Engineers in the Digital Transformation age.

渡部 豊 著

C&R研究所

■ 本書について

●本書で紹介しているチェックシートについてはC&R研究所のホームページからダウロードすることができます。ダウンロード方法などについては10ページを参照してください。

この本をおすすめします

●不易流行（ＤＸ）時代の人生設計の道標。ＩＴ屋が迷い悩んだら習慣にすべき心得集。

香川 進吾（元富士通専務兼ＣＴＯ）

●ＩＴの専門家、そして未経験者への必読書。これからの時代をどのように生きていくべきか、考えるキッカケに。

佐々木 慈和（株式会社ＧＲＣＳ代表取締役社長）

●ＩＴエンジニアの後半キャリアに焦点を当てているのが面白い。キャリアチョイスはもとより、いまいる組織での人材価値向上にも寄与する良書である。

林 雅音（インターシステムズジャパン株式会社 カントリーマネージャー）

●ＩＴ屋が人生の岐路に立ったときに読むべき一冊。使う側、働く側の双方の視点でライトシフトを徐々に進めていくことの必要性とそのポイントがわかる。

福本 勲（アルファコンパス代表）

●すべてのＩＴ屋さん、いや、すべての職業人が目を通すべき内容。本書がみなさんのキャリアを考えるきっかけになることを願う。

丸山 満彦（情報セキュリティ大学院大学客員教授）

はじめに

私はこれまで34年間、プログラマを皮切りに、自ら進んでＩＴ業界のあらゆる職種を経験してきた。そして、約３０００名の技術者、営業、インストラクタ、サポートエンジニアなど、さまざまな人たちと仕事をともにしながら、いまも現役でＩＴの世界にいる。

日本も「情報化社会」といわれて久しいが、言葉の認知はあれど、それを支えるＩＴの仕事は多岐にわたるため、詳しい仕事内容までは一般的に知られていないのが現状ではないだろうか。しかし、ＩＴ業界に携わっている私たちはその担い手として、これまでもいまも、日本企業を支え、人々の日常生活を「便利」にしてきた存在に他ならないと自負している。

いま、ＩＴの世界はクラウドやＤＸ（デジタルトランスフォーメーション）が主流になりつつあり、大きな変化の中にある。新しい技術を習得して、ＩＴ業界に足を踏み入れる若い世代も増えてきた。

その一方で、これまで日本のＩＴを支えてきた40代以上の技術者の活躍の場が年々狭まっているように思う。そのような状況に不安を抱いている人は少なくないのではないだろうか。しかし、50歳半ばの私がそうであるように、今日まで第一線で活躍してる多くのシニア層がいるのも確かである。

今後よりいっそう進化していくであろう日本の情報化社会において、40歳以上の技術者たちが人生を生き抜いていくための「ライフシフト」が注目されている。人生１００年時代といわれるいま、私たちの人生はまだまだ長い。みなさんがこれから有意義な時間を歩む人生設計を描くうえで、私の経験をもとに、本書が一助になればという思いから執筆した。

２０２３年1月　渡部　豊

CONTENTS

CHAPTER 0

ＩＴ屋が新しい生き方を手にするために

CHAPTER

いまのＩＴ屋をとりまく現状と変化の波

CONTENTS

CHAPTER 2

多様化するシニアIT屋の働き方への注意点

CHAPTER 3

IT屋が人生100年時代を生き抜く3つの法則

3カ月で実現する ＩＴ屋のライフシフトプラン

CONTENTS

CHAPTER 5

40歳以上のIT屋はこれからをどう生き抜くべきか

チェックシートのダウンロードについて

本書で紹介しているチェックシートは、C&R研究所のホームページからダウンロードすることができます。本書のサンプルを入手するには、次のように操作します。

❶「https://www.c-r.com/」にアクセスします。

❷トップページ左上の「商品検索」欄に「402-4」と入力し、[検索]ボタンをクリックします。

❸ 検索結果が表示されるので、本書の書名のリンクをクリックします。

❹ 書籍詳細ページが表示されるので、[サンプルデータダウンロード]ボタンをクリックします。

❺ 下記の「ユーザー名」と「パスワード」を入力し、ダウンロードページにアクセスします。

❻「サンプルデータ」のリンク先のファイルをダウンロードし、保存します。

サンプルのダウンロードに必要なユーザー名とパスワード

ユーザー名 **dxst**

パスワード **s8sw**

※ユーザー名・パスワードは、半角英数字で入力してください。また、「J」と「j」や「K」と「k」などの大文字と小文字の違いもありますので、よく確認して入力してください。

サンプルデータはZIP形式で圧縮してありますので、解凍してお使いください。

サンプルデータは、Word文書(拡張子「.doc」)またはExcelシート(拡張子「.xls」)になっています。ファイルは編集可能ですので、ご自分の活動に合わせて、変更してお使いください。

CHAPTER

0

IT屋が新しい生き方を手にするために

序章では、本書で取り上げる「IT屋」の定義とその価値、そして、ベテランの域に入ったエンジニアとしてのこれからの生き方、ライフシフトについて解説する。

ＩＴ屋とは

読者のみなさんは自分の仕事内容を誰かに伝えるとき、どんな言葉を使っているだろうか。私は、ＩＴに関する仕事をしている人たちを「ＩＴ屋」という言い方で総称している。「ＩＴ屋」といっても馴染みがない言葉かもしれないが、こう呼ぶには理由がある。早い話、ＩＴの仕事は一般の人からはわかりにくいからである。

長年ＩＴにかかわる仕事をしてきたなかで、自分の職業を説明し、相手に明確にわかってもらう端的な言葉が案外ないということに気がついた。コンピュータ関係、システムエンジニア、プログラマ、コンサルタントなど、さまざまな言い方をしてきたが、実はどれもしっくりこなかった。これまで、相手に正しくＩＴの仕事を理解してもらえていたのかと考えると実に悩ましい。実際問題として、私自身も、ＩＴについてあまり深く知らない人たちに自分の仕事内容を理解してもらうことに相当苦しんだ。最初は私の伝え方が悪いのかと自己嫌悪にも陥ったが、同じようなキャリアを歩んできた人たちにそのことを尋ねると、みな同じ悩みを抱えていることがわかった。

ＩＴの職種は多種多様だ。このようなＩＴに関する職業を総称する言い方はないものかと考えて行き着いたのが、「ＩＴ屋」なのである。

幸いＩＴという用語は、比較的世の中から認知されている。「ＩＴ屋」であれば、不動産屋、電気屋、料理屋ぐらいのニュアンスで、誰にでも親しみを持ってＩＴの仕事に関心を寄せてもらえるのではないだろうかと考えたのだ。そして、「ＩＴ屋」の仕事への理解が深まれば、ＩＴそのものの価値も高まっていくはずである。そういう意味からも「ＩＴ屋」という表現を使っている。

IT屋とは

IT屋の生きざまを変える「2025年の崖」

「2025年の崖」とは、経済産業省のDXレポートで使われている言葉である。このなかで、さまざまな企業の情報システムが複雑化・ブラックボックス化した状態で解消できないまま残存した場合、国際競争への遅れ、我が国の経済の停滞などを招くと警鐘を鳴らしている。そしていま、これを根拠の1つとして、国内企業でのDXが推進されており、必要な技術を持ったIT屋は引く手あまたなのである。そのようななかで、40代以降のIT屋の退職または高齢化がIT人材の不足を加速させているとされている。なぜこのような現象が起こっているのだろうか。

古い技術しか知らないIT屋は不要なのか?

DXに必要なデジタル技術要素として、次の図で示すような「ABCD」があるとされている。これに加えて、従来のウォーターフォール型の開発技法に代わってプロトタイプを開発し、ユーザーの意見を取り入れつつ完成に近づけていくアジャイル型の開発が一般的になりつつある。

これらアジャイル型の開発手法は、システム開発の進め方そのものが従来とは全く別のものに感じられる。そのため、一見すればこれまでの古いシステム開発しか知らないＩＴ屋は「使えない」と思われる節もあるだろう。しかし、いまや企業にはなんらかの情報システムが存在している。そして新たなシステムを開発するときは、いままで使用していた「現行システムを分析」するところからスタートする。そのため、現行システムを理解しているＩＴ屋は必ず必要となる。

このような状況下で、いわゆる古いシステムに関する技術を持っているＩＴ屋が新しい知識を習得することで、ＩＴ屋としてよりパワーアップできるのである。

とはいえ、いままでウォーターフォール型アプローチなど、いわば枯れたアーキテクチャを

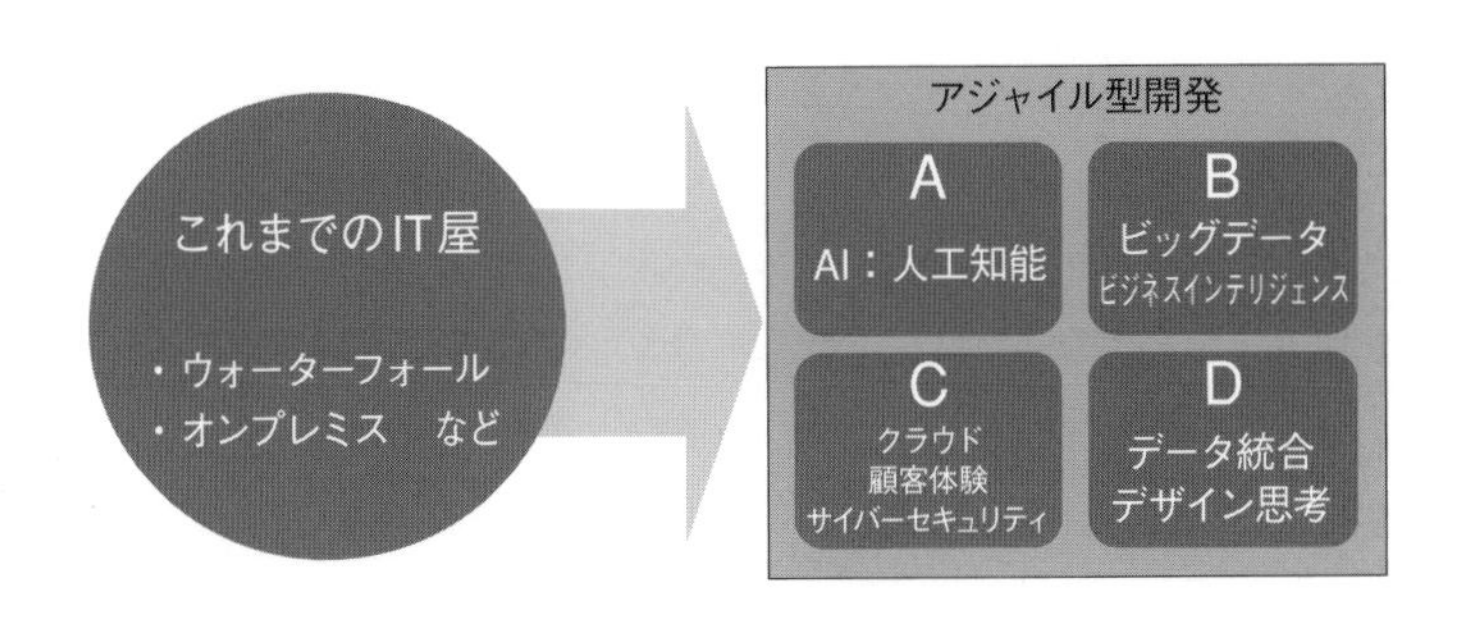

IT屋の目指すべき変革の姿

利用したシステムの開発・運用・保守だけを行ってきたＩＴ屋が、ＤＸで主流であるクラウド、データ活用、ＡＩなどの新しい技術を取り入れ、アジャイル型で開発するアプローチができるのか？という声があるのも現実だ。

しかし考えてみてほしいのは、「エンドユーザーの仕事を便利にする」というシステム開発の原則はいまも昔も変わりがないはずである。これまでも長年現場のプロジェクトで経験してきたように、事前に基本的な考え方やアプローチをおさえ、試行錯誤しながら、細かい技術は都度習得していけばよいのである。そして、新しい技術の習得は、年齢を理由に不可能であるはずはない。

40代を越えたＩＴ屋には、技術のすさまじい変化を遂げてきた時代のなかで戦ってきた知識と経験がある。そのなかで、長年培ってきた知識と経験を、適宜バージョンアップしてきたはずである。いま一度これらをＤＸ流にバージョンアップしてみればいいだけなのである。古いシステムを知っているＩＴ屋が、新しい技術・技法を習得することによって、ＤＸプロジェクトを成功に導けると私は考えている。

ＩＴ業界の平均年齢はすでに40歳越え、45歳以上も主流になりつつある

厚生労働省の令和3年賃金構造基本統計調査によると、ＩＴ企業が属する情報通信業に従事する人の平均年齢は40・3歳である。これは全産業の労働者の平均年齢43・4歳に比べると若い産業であるともいえるが、ＩＴ業界の主流はもはや40代以上であるともいえる。また総務省統計局の令和3年度労働力調査年報によると、情報通信業のうちＩＴ屋が多く属する情報サービス業の51・9％が40歳以上、45歳以上においては38・2％となっている。この数字からもＩＴ屋は今後、45歳以上が主流になりつつあるといっても過言ではない。

読者のみなさんもご存じの通り、以前のＩＴ業界では「35歳定年制」がまことしやかにささやかれていた。いまも多かれ少なかれ変わらないのかもしれないが、当時のＩＴ業界の労働環境は、長時間労働が当たり前であった。加えて、技術変化のスピードが激しいこともあり、若くて頭が柔らかく、体力がないとつとまらないといった意味があった。しかし前述したように、ＩＴ業界の平均年齢は35歳どころか40歳を越えている。そしていまや、45歳以上、ともすれば60代以上でも現役のＩＴ屋として活躍している人もいる。私自身も22歳でＩＴ屋としてのスタートを切り、56歳になったいまも変わらず活動できている。

そんななか、近年のＤＸへの要求の高まりから、デジタル人材の不足が叫ばれており、多くの若者をＩＴ業界に呼び込む流れが加速している。この現状について多くのＩＴ屋が感じていることだろうが、若い人材だけで企業などへのシステム導入を完遂させることはまず不可能である。確かに若い人材であれば新しい技術を吸収するスピードは速い。さらにいえば、多少厳しい環境であっても、若さと体力で乗り切ることもできるだろう。しかし、先進技術と体力だけで、ＩＴ導入プロジェクトを乗り切れるわけはない。長年のプロジェクト経験の積み重ね、そしてユーザーと対峙するだけの知識や振る舞いなどが必要なのはいうまでもない。若い人材にはないものを、長年経験のあるＩＴ屋は持ち合わせている。

しかし、そのシニア層のＩＴ屋が持ち合わせている「強み」を、各ＩＴ企業、さらにいえばＩＴ業界全体はうまく活用できているのだろうか。とある大手ＩＴ企業の元役員が、「ＩＴエンジニアは40歳を過ぎるとマネジメント層として経営側に携われれば生き延びることができるが、そのままプロのエンジニアとして進んでいくためにはＤＸのデジタル技術に精通していないと弾かれてしまう時代になっている」と話していた。そのＩＴ企業でも現在さかんに人の入れ替えを行っているとのことだった。実際にそうした会社は少なくないだろう。しかし日本のＤＸをより加速させ、２０２５年の崖を乗り切るためには、若い人材の採用に躍起になるだけでなく、これまで長年日本のＩＴを支えてきた人材を登用することは重要なはずである。

「ＩＴ屋を引退したい」はＩＴが嫌いになったから？

最近、40歳を越えたＩＴ屋から、「ＩＴ業界を辞めて別の仕事につきたい」「セカンドキャリアは、これまでの経験を活かしつつのんびりとやりたい」という声をよく聞く。その理由としては、「ＩＴ業界の忙しさとストレスに疲れた」「いまさら新しい技術を習得することは難しい」といったものが多い。つまり、決してＩＴ自体が嫌いになったわけではないのだ。それよりもむしろ、ＩＴ業界自体がいま現在、知識と経験を積んだシニア層のＩＴ屋に対するキャリアパスを明示できていないことこそが、引退したい気持ちにさせるそもそもの原因ではないだろうかと私は思うのである。

ＩＴ屋にも必要なライフシフト

いまや人生１００年時代といわれ、年金支給年齢の引き上げが進むなか、定年も

65歳から70歳に引き上げる動きが出ている。会社も政府の年金もあてにならないいま、65歳までの働きでその後の長い人生を賄うほどの貯蓄をするのは難しい。そのため、できるかぎり健康に過ごし、より長く働くことが求められている。

読者のみなさんは生涯現役であり続けるためにどのように生きていくのだろうか。長い人生のなかで、この先いくつものターニングポイントがやってくる。自分自身の生き方を見直す節目が必ずあるのだ。有意義に、豊かに、自分らしく過ごすために自分自身で人生戦略を立てていく。この考え方が「ライフシフト」である。

しかし、IT業界の場合は65歳はおろか40歳以降の働き方すら明確に定義できていない。そのような状況のなかで、IT業界の第一線で活躍する人や、さらにはこれからIT業界を目指す若い人たちに、今後のIT社会、デジタル社会の担い手となる夢と希望が与えられるだろうか。いまIT業界はもちろん、IT業界で長年働いてきた私たちIT屋一人一人が、目先の仕事にとらわれるのではなく、これからの人生を生き抜くためのライフシフトを、いま一度真剣に考えるべきではないだろうか。

CHAPTER

1

いまのIT屋をとりまく現状と変化の波

いま、IT人材の不足が叫ばれている。そして多くの若者が新たにIT屋の道を歩み始めている。そうしたなかで、40代以上の「シニアIT屋」には需要があるのだろうか? 本章ではシニア層のIT屋の現状について解説する。

ＩＴ屋を取り巻く現状

～人材は本当に不足？それとも余剰している？

2030年にはIT人材が45万人不足する

経済産業省の「ＩＴ人材需給に関する調査（２０１９年）」によると、今後、企業などでのＩＴニーズが拡大することにより、２０３０年には約45万人もの技術者が不足するとされている。その一方で、シニアのＩＴ人材活用については、その必要性は議論されつつあるものの、まだ具体的な施策は形になっているとはいいがたい。

若い人材が増えてきたとしても、それだけではＩＴニーズに対応できない。なぜなら、情報システムは全く新しいビジネスモデルをシステム化するのではない限り、これまで使ってきたシステムの処理を分析し、その改善点を踏まえて新しいシステムの検討を行うことが一般的であるからだ。つまり、現行システムの動きを知らないことには新しいシステムを考えることはできないのである。

ユーザーのさまざまなニーズを把握し、システムを実装するには、ＩＴスキルに加え、「経験値」も不可欠だ。シニアＩＴ屋には、旧システムから新システムに置き

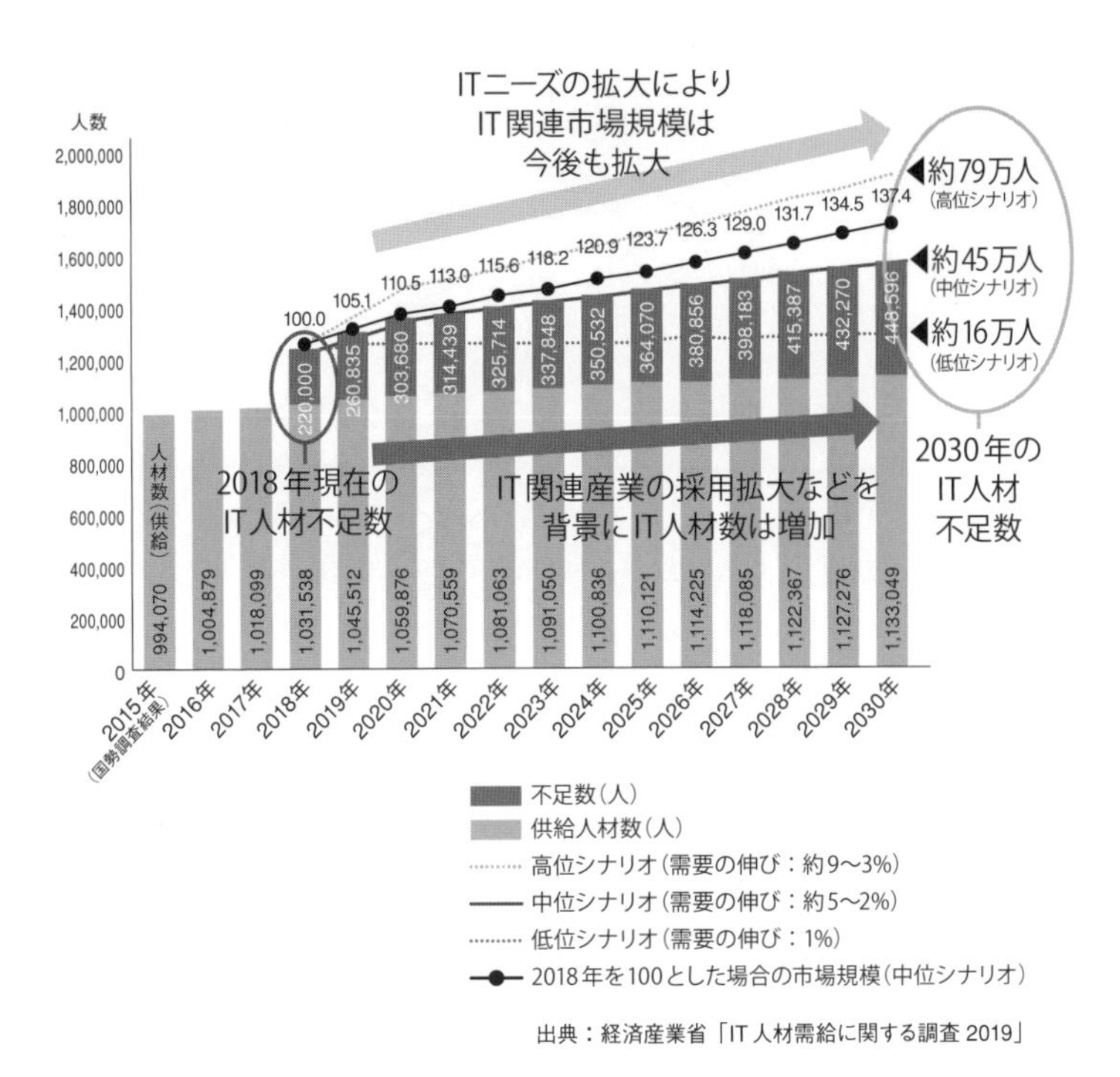

出典：経済産業省「IT人材需給に関する調査 2019」

今後不足するIT人材

換えてきた経験と実績がある。だからこそ、シニアＩＴ屋が若手のＩＴ屋とともにチームで活動し、新システムへの橋渡し役になることはＩＴ人材不足の打開策として有効なのである。またシニアＩＴ屋の活用を真剣に取り組んでいくことにより、作業の効率化や作業品質の向上にもつながるはずだ。

かつての「若い」業界にも高齢化の波

私は１９８９年に新卒でＩＴ業界に入った。この年は世界初のノートパソコンが日本で発売され、当時の主流であった汎用機やオフコンがパソコンに切り替わっていく激動の年であった。ＩＴ業界には日々新しい技術が登場し、それに追従していくためには年齢的にも体力的にも一定の年を過ぎると厳しくなるということから、いわゆる「35歳定年説」という言葉が使われていた。実際にＩＴの仕事に携わってみると、

- プログラムが思い通りに動かない
- システムの仕様がたびたび変更になる

といった理由で納期前には深夜残業が続き、徹夜することも多々あった。しかし、いまや働き方改革などによりＩＴ屋の労働条件は緩和されており、気力と体力が必要なことには変わりがないとはいえ、40歳以上でも働ける労働環境になっている。

シニアIT屋の引退はIT企業の戦力低下につながる

企業に勤めている以上、ある一定の年齢を越えると役職定年を迎える。能力と体力はまだまだあるものの、年齢だけで第一線を退かされ、地位や報酬も大きくダウンする憂き目にあうケースが多い。しかし、これまで日本のＩＴ化を支えてきた知識・経験のあるシニアＩＴ屋を活用しないことが、ＩＴ業界だけでなく日本のＩＴそのものの力を減退させることは間違いない。いまや、高齢化社会でシニア人材の活用が叫ばれているなか、この状況はまさに「宝の持ち腐れ」である。

ＤＸプロジェクトは、従来の受託開発でのシステム開発とは異なり、ユーザーとＩＴ屋がチームを組んで、プロジェクトを進めるケースが多い。そのため、ユーザー企業自身がＩＴ屋を雇用しているケースも増加している。そういう意味では、シニアＩＴ屋がユーザー企業のＤＸ担当者に転身するなど、活躍の場は広がっている現状もある。しかしそこには転身する人自身がマインドを変えるなど、注意すべきポイントがある。この点についてはCHAPTER2で取り上げる。

工夫次第でシニアIT屋はもっと活躍できる

経験豊富なシニアIT屋を活用することは、IT人材不足の打開策の1つであることは間違いない。しかし、単にシニア人材を頭数だけ採用すれば解決するほど話は単純ではない。シニアIT屋が今後も第一線で活躍するためには、IT業界はもち

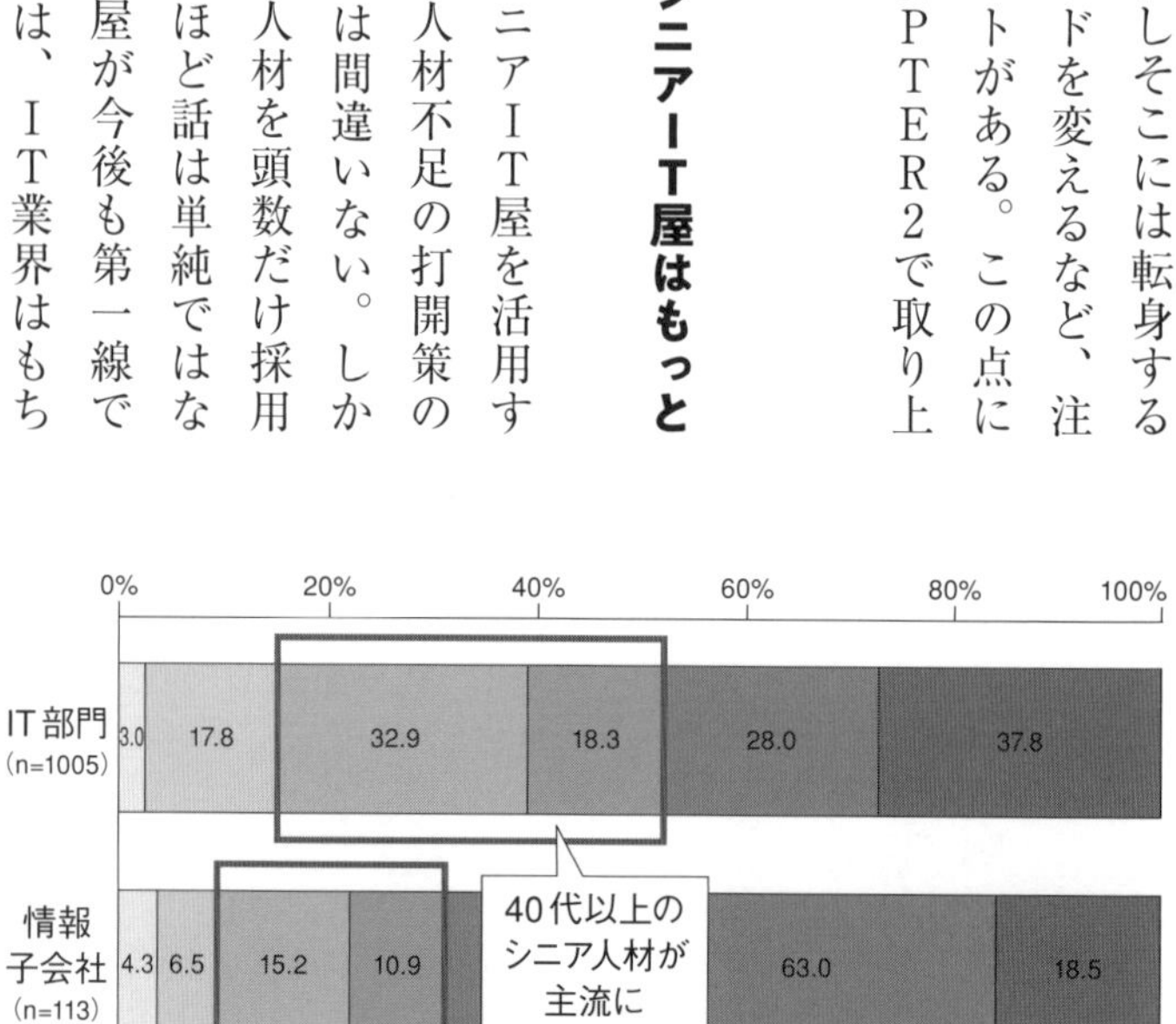

出典：日本情報システムユーザー協会（JUAS）「企業IT動向調査2019」

ITの担い手は高齢化が進む

ろんのこと、ＩＴ屋自身もこれまでの考えを見直す必要がある。次節では、「使う側」と「働く側」の両方で考えるべきシニアＩＴ人材活用のポイントについて説明する。

「使う側」の問題

～65歳定年、人生１００年時代に無策のＩＴ業界

ＩＴ屋の多くは、ＩＴ企業もしくは一般企業の情報システム部門などに所属する会社員である。つまりほとんどのＩＴ屋は、定年まで特定の企業に属してキャリアを積み重ねていく。そして会社員である以上、キャリアを自分自身でコントロールすることは難しい。これについて、私自身の経験を踏まえて考えてみたい。

ＩＴ企業が考える社員のキャリアパスとは

私がＩＴ屋になったころ、年齢を重ねることで自分にはどのようなキャリアパスを描けるのかを疑問に思っていた。そのとき、当時の上司や先輩から言われたのが、次の図に示したようなキャリアパスである。これによると、プログラマを皮切りにシステムエンジニアとなり、その後はプロジェクトマネージャへと進む。そして最終的には管理職や営業になるというものだった。

しかし、その間になにを学び、経験すればよいのかは示されていなかった。またこのキャリアパスだと、場合によっては数年で到達できる可能性もあった。そういう意味で、ＩＴ業界の「35歳定年説」は事実だとも思った。だがこれはＩＴ屋としてのキャリアパスの１つに過ぎず、配属された部署や職務、異動などによっては全く異なるキャリアパスになることもある。つまり、当時のＩＴ屋のキャリアパスはかなり曖昧で、不明確であった。これを明確に整理したという意味では「ＩＴスキル標準」の存在は大きいといえる。

いま、多くのＩＴ企業が新卒や若年層の採用に躍起になっている。その一方で、多くのシニアＩＴ人材の活躍の場が減少しているのは前述の通

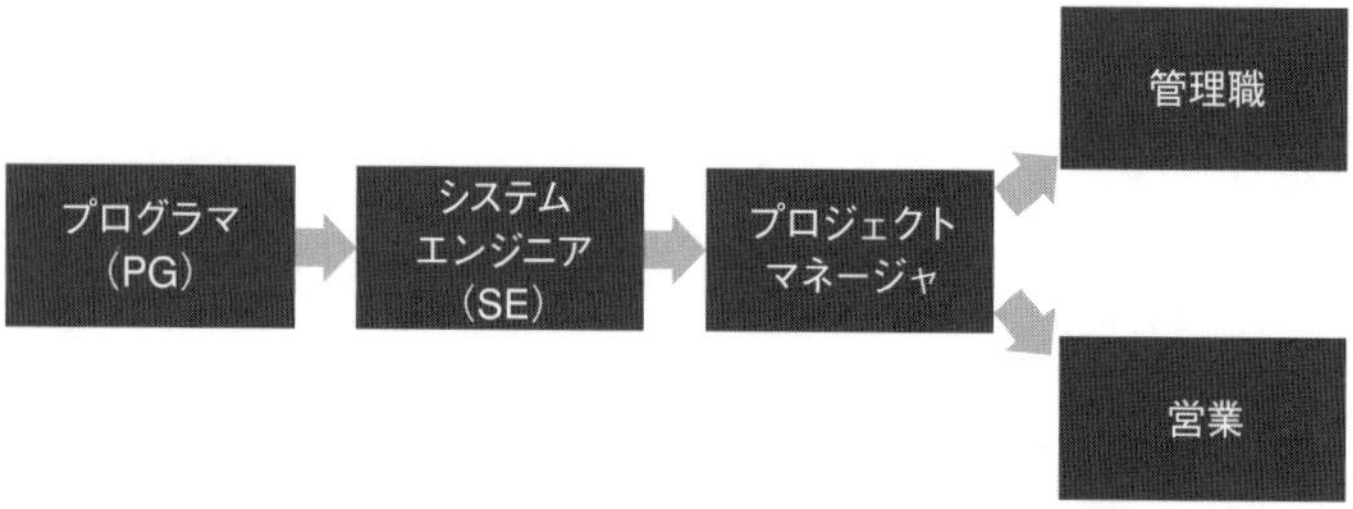

プログラマ（PG） → システムエンジニア（SE） → プロジェクトマネージャ → 管理職 / 営業

1990年ごろに会社から示されたキャリアパスの例

りである。そしてシニアＩＴ人材の活躍方法を十分に検討しないままに役職定年、リストラなどによって会社員としての地位を突然奪うようなケースもある。シニアＩＴ屋がいったんそのような状況になると、他業界への転身も難しくなる。さらに、同業種への転職も年々ハードルが高まっている。このように「使う側」の問題を、「働く側」の問題に転嫁しているのがＩＴ業界の現実である。

ＩＴ企業が若い人材を求める真の理由

多くのＩＴ企業は、自社のＩＴ人材を顧客の受託開発プロジェクトに投入し、稼働させることで収益を上げている。つまりＩＴ企業の利益は、顧客へ請求する労務費から、実際の賃金や経費を差し引いたものとなる。乱暴な言い方をすれば、賃金が安い人材を稼働させれば、それだけ利益が上がる。これが長年にわたってＩＴ業界のビジネスモデルの主流であることは事実である。つまり、賃金の高いシニア人材を過度に投入すれば利益を逼迫しかねない。ましてや、ＳＥＳ（システムエンジニアリングサービス）や派遣で技術者を客先に出している企業の場合であれば、さらに状況は深刻である。顧客から受託する金額よりも技術者にかかる賃金や経費が上回れば即赤字になる。そして技術者の稼働が空いてしまえば、収益すら維持することができなくなる。

現在は請負型や自社製品開発にシフトするなど、このビジネスモデルを変革するための取組みも少なからず行われているが、一朝一夕に変えることは難しい。だが、いたずらに単価の安い若い人材を集めればいいというものではない。むしろ、若い人材とともに、知識と経験があるシニア人材の双方を計画的に配置することが、システムの品質を高めるためにも有効なはずである。

収益	人月単価　×　投入した人数	たくさん人を投入したほうが儲かる
原価	労務費（外注費）　×　投入した人数	労務費が安い人材を投入したほうが儲かる
利益	収益　－　原価　－　経費	IT企業は設備投資も少ない

人月ビジネスの極端な例

「働く側」の問題 ～40代を越えると市場価値に対する不安から自信が減退

昨今の状況から、シニアＩＴ屋が活躍していくには、いまのＩＴ業界には課題が多い。しかし、「働く側」であるシニアＩＴ屋にも問題はある。それは40歳を越えたあたりからの「自信の減退」である。

大手人材系メディア、マイナビの「マイナビライフキャリア実態調査（２０２１年）」によると、男性に限定した場合、役職に就いている割合が最も高いのは、45～54歳となっている。その一方で、自身のこれまでのキャリアについて疑問を持ち始めるのも同じ時期である。この調査は15歳以上の男女という幅広い層を対象にしているが、前述した厚生労働省の令和３年度賃金構造基本統計調査によると、情報通信業に従事する人の平均年齢が40・３歳となっており、全産業の労働者の平均年齢43・４歳と比べると若いことがわかる。このことから考えると、20代、30代の若いうちからさまざまな職務経験を積んで、40歳前半にはすでに役職に就いている可能性もある。

そして、この40歳前半という時期になると役職者と非役職者の年齢が逆転し始めるのである。いわゆる年下上司のもとで職務に従事するシニアＩＴ屋が現れ始める。さらには、年齢制限で転職はおろかＳＥＳでの案件参画も難しくなるようなケースも出始めるのではないだろうか。このようななかで、自分自身のこれまでのスキルに自信をなくし始めるのも仕方ないかもしれない。

私自身も44歳で転職した前後は、年齢だけで転職はおろか、社内の立ち位置でもずいぶん苦労した。しかしそこを打破できた理由は、会社に依存せず自身のキャリアを真剣に考えたからだ。そしていまも自身で考えたキャリ

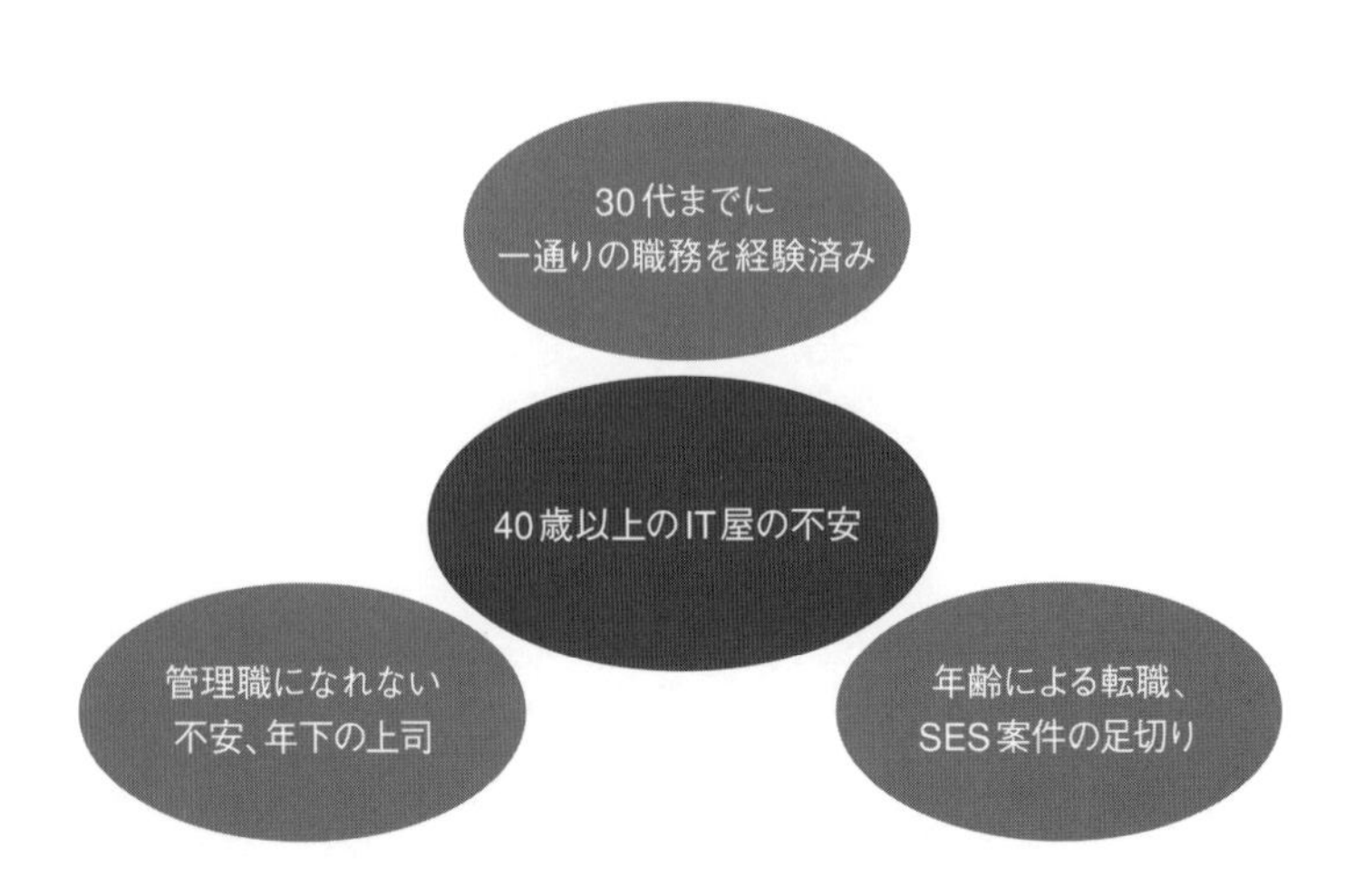

40歳以上のIT屋の不安

アの実現に向けて歩んでいる。

シニアIT屋は自分で道を切り拓くべき

ＩＴ業界としてシニアＩＴ屋の活用を考えるべき、と口でいうのは容易だ。しかし前述したように、一般的なＳＩｅｒや受託システム開発の場合、簡単にいえば、その収益は技術者一人当たりの単価（人月単価）に投入した人数を掛け合わせた金額がベースとなる。ＩＴ企業が営利企業である以上、人件費の高いシニアＩＴ屋をむやみに投入することは、結果的に収益を圧迫する。しかしこれは会社だけが考える問題ではない。シニアＩＴ屋自身も、これまでの自分自身に固執するのではなく、若い人たちのなかに溶け込み、自分のキャリアを磨き続ける姿勢が必要である。

いまこそIT屋が自身の人生設計を考える好機

ＩＴ屋であるあなた自身は、これからの人生設計をどのように考えているだろうか。長年ＩＴ業界にいると、日常の仕事に追われ、これからの自分について考えるような余裕がなかったかもしれない。かくいう私自身も会社員として活動しているなかでは、どうしても日々の仕事が優先になり、自分の人生設計をきっちりと考えることはなかった。いま独立開業して数年が経ち、ようやく自分のこれからの人生設計を考えられるようになった。読者のみなさんには、本書を手に取っていただいたことを好機として、自分自身のこれからの人生について本気で考える時間を作っていただきたい。

ここからは、これまでの私自身のアプローチの反省を踏まえ、ＩＴ屋としての人生設計を考えるためのポイントを紹介していく。

いまの会社を中心に考えない

ＩＴ屋に限った話ではないが、会社員として勤務している場合、自分が活躍するステージは、どうしても「いま在籍している会社」を軸に考えがちである。具体的には、いま在籍している会社でどういった知識や経験を積み、昇給・昇格を狙うかといったようなことである。

しかしＩＴ業界においては、終身雇用制・年功序列といった考え方は比較的早い段階から薄まっていた。また、「ＩＴスキル標準」によりＩＴ屋一人一人の職種・キャリアパスが明示されたことで、昨今話題になっているジョブ型雇用（明確な職務定義にもとづく雇用制度）への対応も比較的しやすい職種であるのも事実である。このことから、他の職業と比較して、ＩＴ屋は自分自身でキャリアを選んでいける土壌にあるといえる。つまり会社に依存しなくとも、自分で技術とキャリアを切り拓き、ライフシフトが実現できる数少ない職業なのである。

持っている技術中心でＩＴ屋としての人生設計を考える

私は自分の経験から、ＩＴ屋は自身が持っている技術を中心に人生設計を行っていくことが有効だと考えている。現在持っているスキルをベースに、「ＩＴ屋としてどういう技術を伸ばし、どのように活躍の場を広げていくか」を考える、ということである。

このようなアプローチを行うことで、「いま在籍している会社では必要な技術を身につけることができない」という結論に至ることもあるだろう。そうした場合は、なにも会社にこだわる必要はない。これまで自分が身につけた技術を武器に、転職することやＩＴフリーランスなどで活躍することもできる。要は「技術」さえあれば、会社に依存しないでライフシフトができるのである。そのうえで、これからの長い人生を歩んでいくための「武器」となるキャリアをいまこそ真剣に考えていくべきである。

また逆に、同じ会社のなかでいままでとは違う職務に変わるという選択肢もある。しかし、私自身も経験したことだが、それまでの慣れや新しい職務への不安などによる高いハードルがある。また、新しいキャリアを獲得するために転職などをする場合、その不安感に加えて、家族など周囲からの理解を得る労力を含めて、骨が折れることも多い。

最近は、副業の解禁やテレワークの普及で

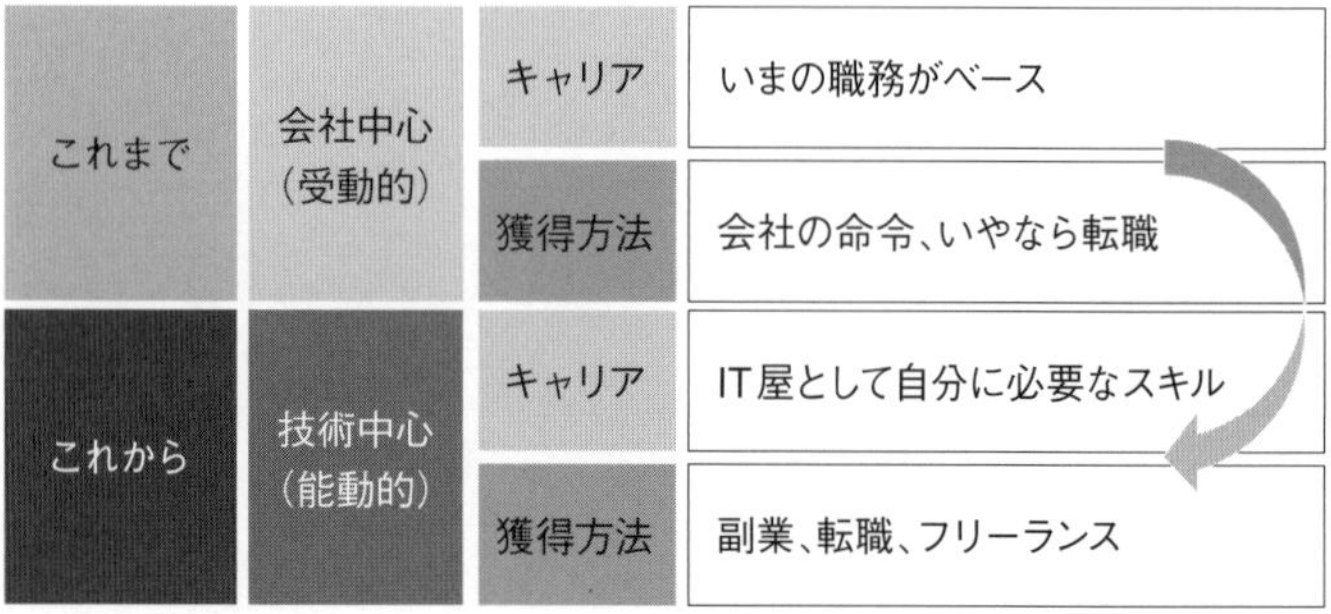

これまで	会社中心（受動的）	キャリア	いまの職務がベース
		獲得方法	会社の命令、いやなら転職
これから	技術中心（能動的）	キャリア	IT屋として自分に必要なスキル
		獲得方法	副業、転職、フリーランス

IT屋のキャリアと獲得方法

通勤時間が減少するなど、ＩＴ屋の働き方も様変わりしている。それに伴い、転職以外にもさまざまなチャレンジができるようになっている。つまり、ＩＴ屋である個人がハードルを乗り越える勇気さえあれば、将来に向けてさまざまな可能性が広がっているのである。

シニアＩＴ屋がこれからを考えるポイント

実際にこれからのライフプランを考えるとなると、堅めに計画を考えがちだ。しかし、変化の激しいＩＴ業界を生き抜くためにはある意味柔軟さが重要である。ここからは40歳以上のシニアＩＴ屋がライフプランを立てるうえでのポイントを説明する。

定年後もＩＴフリーランスで活躍できる

私がこれまで仕事をともにしてきたＩＴ屋のなかには20年以上の付き合いをしている人もいるが、その生きざまは多様である。なかには、一定の年齢を越えてから転職やフリーランスへ転身した人を含め、50代後半になっても現役で活躍している人もいる。その一方で、現在の会社を定年退職したあとは「好きなことをして余生をゆっくり過ごす」と、その先のことには関心の薄い人もいる。また、「この先どのようにして生計を立てていけばいいかわからない」と漠然と悩んでいる人も多い。

ＩＴ屋の場合は手に職がある分、他の業種に比べて、フリーランスとして活躍できる機会が多い。その意味では、40歳以上のシニアＩＴ屋であっても、まだまだ新しい技術にチャレンジすることができる。

働き方が多様化している

近年新型コロナウィルス感染症の影響もあり、会社勤めのＩＴ屋の働き方としてテレワークが一般的になった。自社や客先への出社が減ることで、通勤時間や待ち時間などを活用できるようになり、個人が自由に使える時間が増えている。また昨いまでは、増えた時間で副業を始めたり、新しい技術を身につけるチャンスも広まっている。さらに、従来からＩＴ業界では、裁量労働が認められている企業が多い。つまり、一定の成果さえ出していれば、働く時間にある程度自由度がある。そして、テレワークなどにより時間的な余裕ができたことで、ＩＴ屋の働き方の自由度がさらに高まっている。こうした変化を味方につけ、自身のスキルアップ、キャリアアップを図ることができるのもＩＴ屋の特権であるといえる。

テクノロジーの変化にどう対応するか

ＩＴ屋として求められる変化といえば、働き方もさることながら、最新のテクノロジーにどれだけ対応していくかも重要である。しかし、新しい技術に対応することは年齢的・体力的に厳しいと思う人が多いのも事実である。

私がＩＴ屋になった当時は汎用機・オフコンが主流で、その後、クライアント・サーバー、Ｗｅｂ、クラウドと3回もの大きな技術的変化があったが、それになんとか追従できてきた。なぜならＩＴ技術が変化しても、ユーザーのニーズに合わせてシステムを開発するという原理原則には変わりがないからである。

いまＤＸが注目を集めているが、従来の開発方法論やテクノロジーの詳細に固執せず、「システムをつくる」という原理原則にもとづけば、視点を少し変えるだけで乗り切ることができるのである。

開発アプローチの違い　~ウォーターフォールからスパイラル、アジャイルへ

ＤＸでの標準的な開発アプローチはスパイラル型、アジャイル型である。しかし40歳以上のシニアＩＴ屋の多くが経験してきたのはウォーターフォール型であり、両者の開発アプローチとは全く異なる。

しかし本質は、ユーザーとコミュニケーションをとることであり、ユーザーの業務目線に立って対話することにある。その部分においては、システム開発の経験が長いシニアＩＴ屋が活躍できる局面は多い。つまり、シニアＩＴ屋であっても、ＤＸでの開発アプローチに慣れさえすれば、若いエンジニア以上に活躍できる期待値が高い。

さらに、スパイラルやアジャイルであってもマイルストンは必要であると認識しておけば、実は開発アプローチもそれほど変わらない。つまり、仮にスパイラル、アジャイルであっても、一定の期間に目標となる成果を出すことには違いはないのである。また、ウォーターフォールであっても、すべての課題が解決しないと先に

進めないというわけではない。マイルストンごとの課題管理と次工程での対応をきっちりしていれば、ウォーターフォールもスパイラル、アジャイルも、システムを開発するという本質には変わりがないのである。

新しい言語を覚えなくてもDX人材になれる

システム開発の本質に違いがないとはいえ、シニアIT屋がDXにチャレンジする際にもう1つ越えるべきハードルがある。それは、プログラミング言語である。しかしDXの場合は、フルスクラッチで開発する必要はない。むしろ、SaaS（Software as a Service）など既存のさまざまなサービスを連携させ、最適なシステムを作り上げることが重要なのである。その意味でも、これまで複数のシステム連携の設計・開発を行ってきたシニアIT屋が活躍できる場は多い。

さらに、プログラミング言語が違っても処理を行う内容に違いはない。例えば、「文字列を表示する」「変数を代入する」「演算する」「ある条件で分岐させる」といった処理は、プログラミング言語間で構文が異なるだけで、処理させる内容に変わりはない。つまり、プログラム処理の原理原則さえおさえておけば、シニアIT屋は十分活躍できるのである。

ＩＴ屋は正社員以外のワークスタイルも可能に

いま、企業に属さない新しい働き方として、フリーランスが注目を集めている。内閣官房の「フリーランス実態調査結果（２０２０年5月）」によると、フリーランスとして働く人のうち、全体の約７割を占めているのが40歳以上のミドル・シニア層である。

ＩＴの分野でもフリーランスは一般化しつつある。現にフリーランス・エージェントの市場規模は、２０２１年の時点で約１０００億円を超え、ＩＴフリーランスとして活躍するＩＴ屋は今後、25万人以上に拡大する勢いである。私自身も52歳からフリーランスとしての活動を開始し、実際に60代近いＩＴフリーランスとプロジェクトをともにしたこともあったぐらいである。

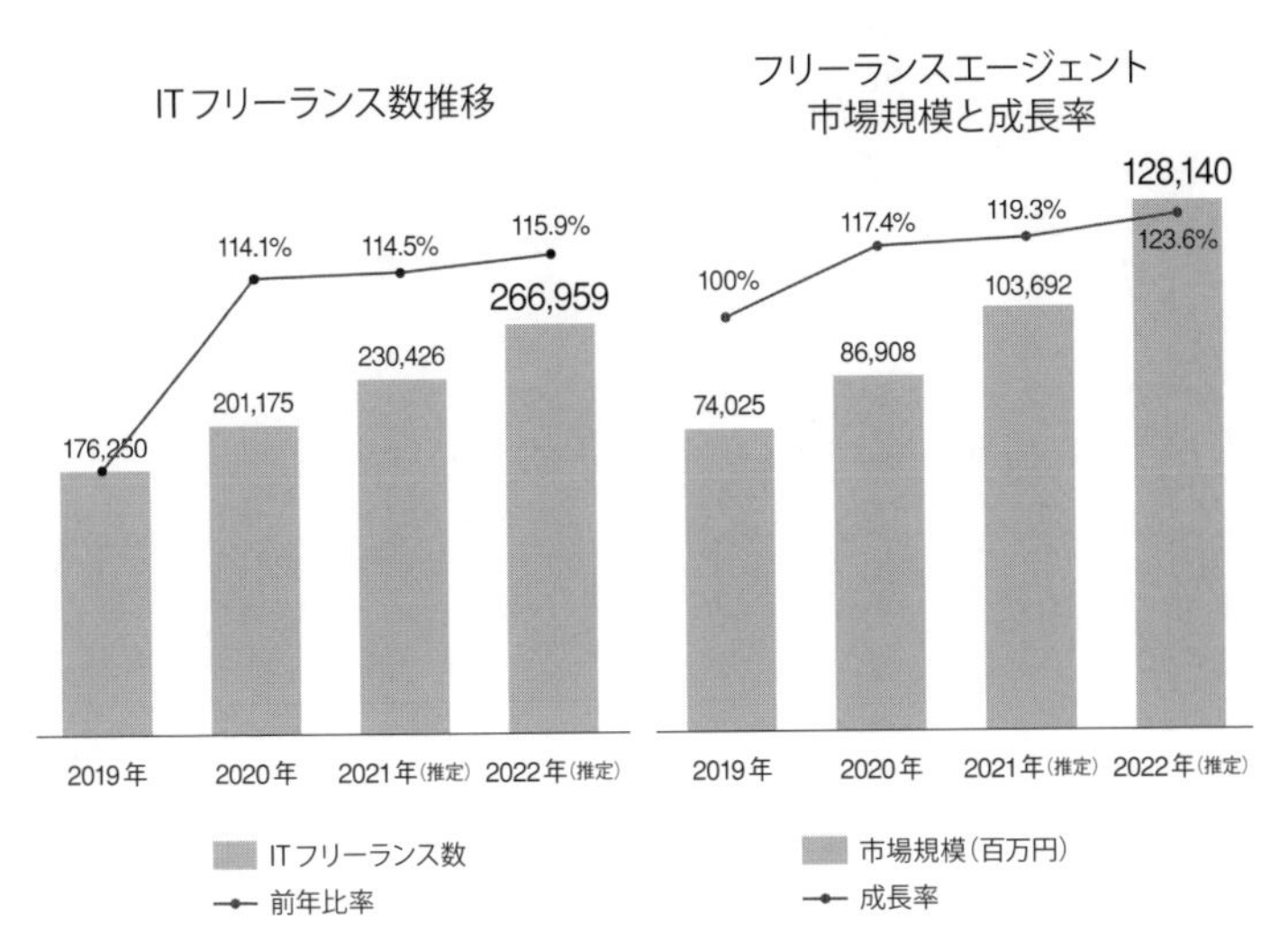

出典：株式会社Brocante「ITフリーランス人材及びITフリーランスエージェントの市場調査 2021年版」

ITフリーランス数と市場規模

変化を味方につけるためのマインドセット

「ＩＴスキル標準」によりＩＴ屋の専門分野が明確に定義され、そのキャリアパスが明示されたことで、ＩＴ屋が行うスキルアップも、いま自分が携わっている職種や専門分野に集中する傾向が強まった。

しかしＤＸプロジェクトを進めていくうえでは、ＩＴスキル標準の職種よりも幅広い知識が必要になる。経済産業省が検討している「デジタルスキル標準」では、ＤＸ推進のための組織変革に関するマインドセットを理解・体得したうえで専門性を発揮する「ＤＸ推進人材」の必要性が定義されている。それぞれの専門性はＩＴスキル標準の職種・専門分野よりも広めである。つまり、今後ＩＴ屋一人一人がＤＸ人材を目指すならば、これまでの自身の専門分野に固執することなく、時代に見合ったデジタルリテラシーを持つことが必要なのである。

ＩＴ屋の多くはアプリケーション、インフラなど特定分野のスペシャリストとしてキャリアを積んできた人が多い。また、ＩＴ屋としてのマインドもウォーターフォールベースの考え方が染みついていることも少なくない。しかし、長年染みついたマインドセットもちょっとした工夫で変えることが可能である。そして、自分自身が身につけたスキル・経験も、見方を変えれば新しい技術に援用できる。CHAPTER3〜4では、それらIT屋としての変革の方法を紹介する。

すべてのビジネスパーソン
小・中・高等学校における情報教育の内容に加え、ビジネスの現場でのデジタル技術の使い方の基礎を学んだ人材

DX推進人材
DX推進のための組織変革に関するマインドセットの理解・体得が必要

ビジネスアーキテクト	データサイエンティスト	エンジニア・オペレータ	サイバーセキュリティスペシャリスト	UI/UXデザイナー
デジタル技術を理解して、ビジネスの現場においてデジタル技術の導入を行う全体設計ができる人材	統計などの知識を元に、AIを活用してビッグデータから新たな知見を引き出し、価値を創造する人材	クラウドなどのデジタル技術を理解し、業務ニーズに合わせて必要なITシステムの実装やそれを支える基盤の安定稼働を実現できる人材	業務プロセスを支えるITシステムをサイバー攻撃の脅威から守るセキュリティ専門人材	顧客との接点に必要な機能とデザインを検討し、システムのユーザー向け設計を担う人材

出典：経済産業省「第1回デジタルスキル標準検討会資料」

DX推進人材の人材像の例

ITスキル標準の悪しき誤解

ＩＴ屋が自分のキャリアを考えるうえで、「ＩＴスキル標準」をベースにする人は少なくないだろう。しかし、自分自身がスキルセットのベースとしているＩＴスキル標準の職種・専門分野にこだわりすぎると、これからのキャリアプランを硬直的に考えてしまいがちである。

ＩＴ屋といってもさまざまな職種、専門分野に分かれている。ＩＴスキル標準では、実に11職種38の専門分野に分かれており、おのおのに最高7段階のスキルレベルを設定し、それぞれのレベルで要求される業務経験や実務能力、知識を定義している。このＩＴスキル標準をベースに、自社の技術者のスキルレベルを定めているＩＴ企業も多い。

たしかに、それまでは明確にＩＴ技術者のスキルについて定義されていなかったことを考えれば、日本のＩＴ屋に与えた影響は大きい。しかし、ＩＴスキル標準は大手ＩＴ企業のシステム開発をベースにつくられたこともあり、中小企業のＩＴ化など、比較的少人数で幅広く対応するような案件にそのまま利用するには無理があ

職種	専門分野	レベル7	レベル6	レベル5	レベル4	レベル3	レベル2	レベル1
マーケティング	マーケティングマネジメント							
	販売チャネル戦略							
	マーケットコミュニケーション							
セールス	訪問型コンサルティングセールス							
	訪問型製品セールス							
	メディア利用型セールス							
コンサルタント	インダストリ							
	ビジネスファンクション							
ITアーキテクト	アプリケーションアーキテクチャ							
	インテグレーションアーキテクチャ							
	インフラストラクチャアーキテクチャ							
プロジェクトマネジメント	システム開発							
	ITアウトソーシング							
	ネットワークサービス							
	ソフトウェア製品開発							
ITスペシャリスト	プラットフォーム							
	ネットワーク							
	データベース							
	アプリケーション共通基盤							
	システム管理							
	セキュリティ							
アプリケーションスペシャリスト	業務システム							
	業務パッケージ							
ソフトウェアデベロップメント	基本ソフト							
	ミドルソフト							
	応用ソフト							
カスタマサービス	ハードウェア							
	ソフトウェア							
	ファシリティマネジメント							
ITサービスマネジメント	運用管理							
	システム管理							
	オペレーション							
	サービスデスク							
エデュケーション	研修企画							
	インストラクション							

ITスキル標準（出典：独立行政法人情報処理推進機構（IPA））

る。また、ユーザー側、組込み、ＩｏＴ、ＤＸなど従来のＩＴスキル標準の枠組みでは整理できない職種については、ＩＴスキル標準との連携を意識して別のスキル標準を定めており、ＩＴスキル標準も職種や専門分野の見直しが継続的に行われている。

ＩＴスキル標準はあくまでスキルを測る「ものさし」であり、決してＩＴ屋の職能を限定するものではない。社員のスキル定義以上に、一人一人がＩＴ屋としての目標を定め、その達成のためのスキル習得を方向づける一助とするものと考えるのが妥当である。

CHAPTER

2

多様化するシニアIT屋の働き方への注意点

本章ではシニアIT屋が今後の働き方を考えていくうえで注意すべき点について説明する。

私自身がＩＴ屋になったそもそもの理由

本題に入る前に、少しだけ私自身のことをお話ししたい。私が社会人になった1989年はまさにバブル経済の真っ最中。当時新卒大量採用を行っていたＩＴ業界も完全な売り手市場であり、応募すれば簡単に内定をもらうことができた。もともと大学院に進学する予定でいたのが、家庭の事情で進学をあきらめ、急遽就職先を探さざるを得なかった。そのため、正直この状況はありがたかった。

だが私自身はそもそも文系出身でコンピュータに関する基礎知識もなく、ましてや数学や物理が苦手であった。にもかかわらず、「文系でも手に職をつけられる」という理由だけでＩＴ屋になったのである。そのため当然ながら入社直後から壁にぶつかり、プログラミングに苦しみながら毎日が苦労と後悔の連続であった。

しかしその後、幸いにして数年でシステムエンジニア、コンサルタント、プロジェクトリーダー、マーケティングなど、約2年ごとにさまざまな仕事を経験させてもらえた。そして幅広くＩＴ業界を見れるようになったのである。

そうした経緯もあり、いつしかＩＴにかかわるすべての立場や工程をきっちりと経験していきたいという思いが強まったのである。その後は自分自身のキャリアのホワイトスペースを埋めるべく、自ら社内での異動希望や転職を繰り返し、程度の差こそあれ、ITに関するほとんどすべての仕事を経験することができた。

そして2019年、約30年の会社員生活に終止符を打ち、現在独立開業して4年目になる。私のように、ここまで極端なキャリアを歩んだIT屋も珍しいだろう。しかしその分、ITの仕事を俯瞰して見る目を養うことができたようにも思う。そしていま、その経験を活かして「IT屋のライフシフト」を支援する活動を行っている。

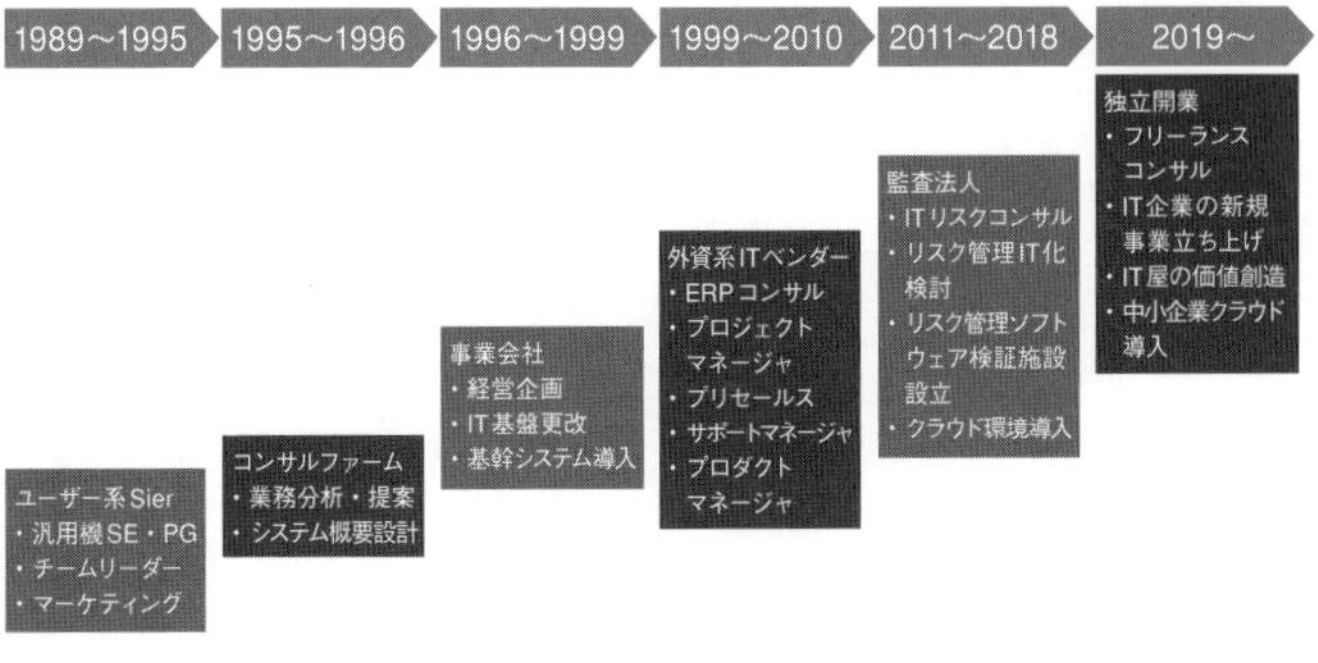

1989〜1995
ユーザー系Sier
・汎用機SE・PG
・チームリーダー
・マーケティング

1995〜1996
コンサルファーム
・業務分析・提案
・システム概要設計

1996〜1999
事業会社
・経営企画
・IT基盤更改
・基幹システム導入

1999〜2010
外資系ITベンダー
・ERPコンサル
・プロジェクトマネージャ
・プリセールス
・サポートマネージャ
・プロダクトマネージャ

2011〜2018
監査法人
・ITリスクコンサル
・リスク管理IT化検討
・リスク管理ソフトウェア検証施設設立
・クラウド環境導入

2019〜
独立開業
・フリーランスコンサル
・IT企業の新規事業立ち上げ
・IT屋の価値創造
・中小企業クラウド導入

IT屋としての私のキャリアパス

シニアＩＴ屋が今後のキャリアを定めるときの注意点

前述したように、私は自分の意志でＩＴ業界で多くの仕事を経験してきた。終身雇用制やスペシャリストとは真逆なキャリアを歩んできたともいえる。その分、ＩＴ業界のさまざまな表と裏を見てきた。そうした経験もあり、転職や独立・起業にはそれほど抵抗がなかった。しかし、長年会社員としてやってきたシニアＩＴ屋からしてみれば、住宅ローンや子どもの教育費などの負担から、いまの年収や生活水準を落とすようなリスクのある転職や独立開業への転身をためらうのは当然だろう。とはいえ、40歳代を越えたあたりから社内のポストが先細りになり、将来に不安を感じ始める人は多いはずだ。

昨今、インターネットでは中高年のライフシフトに関する情報が氾濫している。これらの情報は一見すればどれもがバラ色に見える。しかし、そこには注意すべき点が多数存在している。これは40歳以上のＩＴ屋からキャリア相談を受けるときによく感じることだが、「直近の自分」に固執している人が案外多いということだ。

ＩＴ屋としての「これからの自分」をどうするのかを俯瞰的に考えることで、今後とるべき道がおのずと見えてくる。このアプローチについてはCHAPTER3で詳しく説明する。

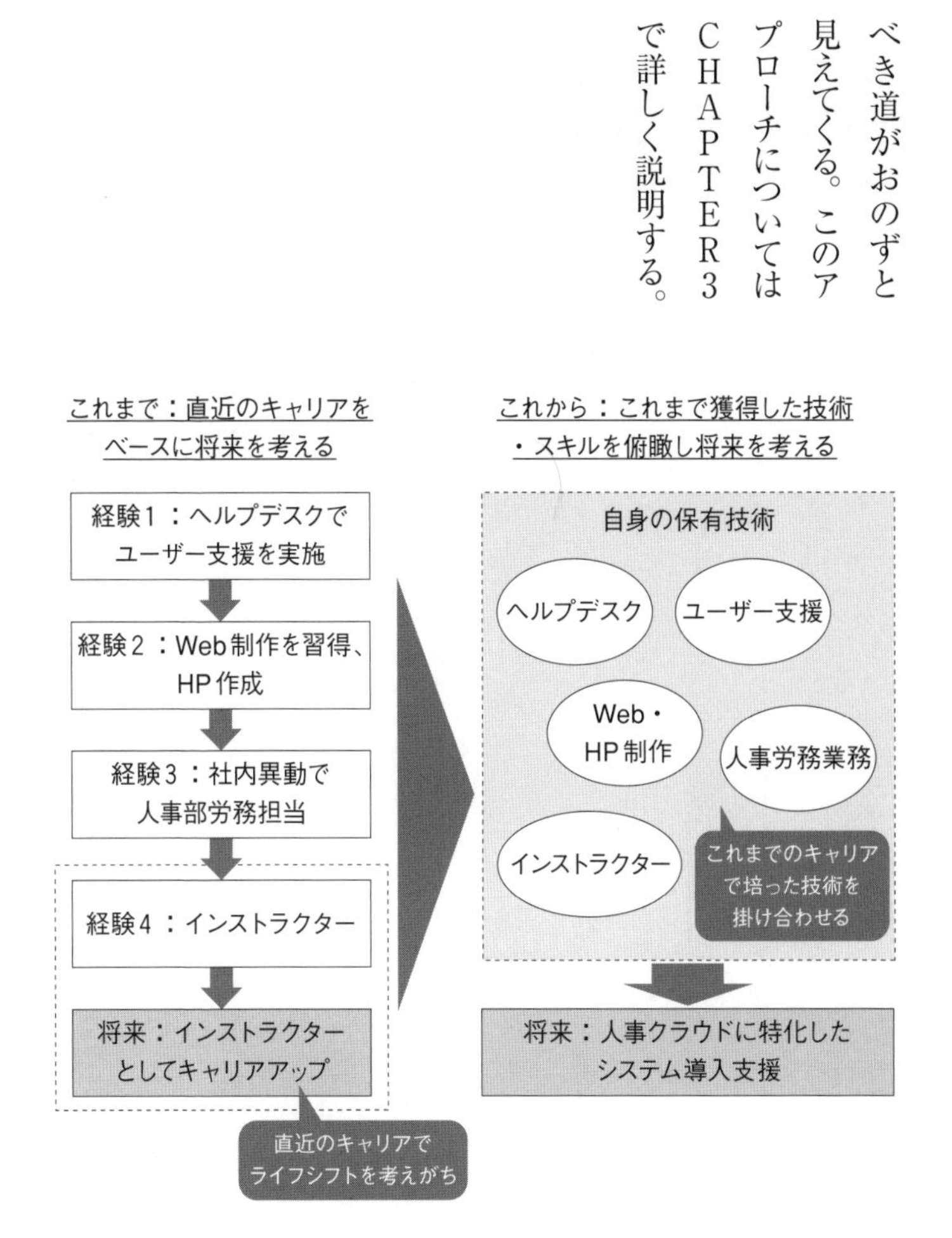

シニアIT屋におすすめしたいキャリアデザインの例

40歳以上のＩＴ屋が転身でハマりやすい落とし穴

終身雇用制が崩壊し、中高年社員をターゲットにしたリストラが増えるなど、シニア人材をとりまく雇用情勢は年々厳しさを増している。これまでも述べたように、40歳を越えたあたりから新しい仕事にチャレンジする機会も減少する。また、意にそぐわない配置転換を命じられることもあり、かつては後輩や部下だった年下社員が上司になることもある。そして、長年勤めた会社であっても徐々に居心地が悪くなることもある。そうしたなか、現在勤めている会社を辞めて次のキャリアを模索する人も少なくない。

インターネット上には、ハイクラス転職やフリーランスなど、さまざまな中高年の転身を助長する情報が氾濫している。そのどれもが成功事例に満ちあふれ、「自分もこれで成功できる」と錯覚してしまう可能性を十分にはらんでいる。

確かに成功した事例もあるだろう。しかし、新しい分野に舵を切ったとたんに思わぬ問題に出くわし、道半ばで挫折する人もいる。事実、私自身もそのような経験をした一人である。ここからは、シニアＩＴ屋がライフシフトを行う際にハマりやすい「落とし穴」について説明する。

ハイクラス転職に要注意

近年、テレビやインターネットの広告でハイクラス転職という言葉を聞いたことがある人は多いだろう。ハイクラス転職とは文字通り、「年収やポジションが高い求人」のことだが、その多くはマネジメント経験者や高い専門性を持った管理職・専門職の求人である。年齢層も30代や40代のミドル世代が中心であり、無論ＩＴ屋もそのターゲットに含まれている。

ハイクラス転職サイトには、上場企業から外資系企業、有力なベンチャー企業まで、非常に多くの求人が公開されている。なかには幹部候補が約束され、高待遇でシニア人材を迎え入れようという求人もある。このような求人は、例えば現在大手ＳＩｅｒなどに勤務し、管理職などの地位や年収８００万円以上の報酬を得ているような人からしてみれば、次のキャリアとして食指が動くのも当然かもしれない。

ハイクラス転職をうたう求人サイトに登録して、企業からスカウトメールでも来たものなら、心はすでにその企業で活躍する自分自身の姿を思い描いてしまう人もいるだろう。しかし、現実はそれほど甘い話ではない。スカウトを受けてから実際に入社するまでの道のりは相当に長いのである。

40代そして50代と年齢を追うごとに、採用する側も慎重になる。そのため、当然のことながら選考プロセスの長さは増してくる。さらにいえば、スカウトとはいうものの、企業側からしてみれば、「ハイクラス転職サイト」に登録した多数の人材のレジュメのなかから、募集条件に合ったキーワード検索でピックアップされた人へ、「ご案内」メールを送信している程度なのである。

また、スカウトメールを送ってくるのは企業の担当者とは限らない。転職エージェントや採用業務を代行する業者が企業の担当者の代わりにまずは人材選定を行い、スカウトメールを送ってくるような場合もある。そのためスカウトメールの段階において採用する企業側は、スカウトを受けた人材のことを認知していないこともある。転職エージェントや採用代行会社が面談などを行い、一次フィルタをかけたうえで、企業に人材を「提案」するからである。

極端な言い方かもしれないが、スカウトメールを受け取った段階では転職エージェントにただ登録しただけとなんら変わらない。スカウトメールやエージェントなどの提案が通った段階で、初めて実際の採用プロセスが始まるのである。またスカウトメールの段階では、応募者の詳しい経歴を見ていることはあまりない。募集するポジションに必要と思われる経歴・スキルをキーワードで検索されたレベルと考えていいだろう。

さらにいえば、スカウトメールはあなた一人に送っているものではない。あなたに類似したキャリアを持つ多数の登録者に送信している。仮に面接まで進んだとしても、選考にはそのポジションや報酬からいって、採用までに数カ月を要するなど、相当な時間がかかることもある。面接回数も一度や二度ではない。私の周囲の経験からも、5回以上面接に足を運んだケースもある。またこの間、募集

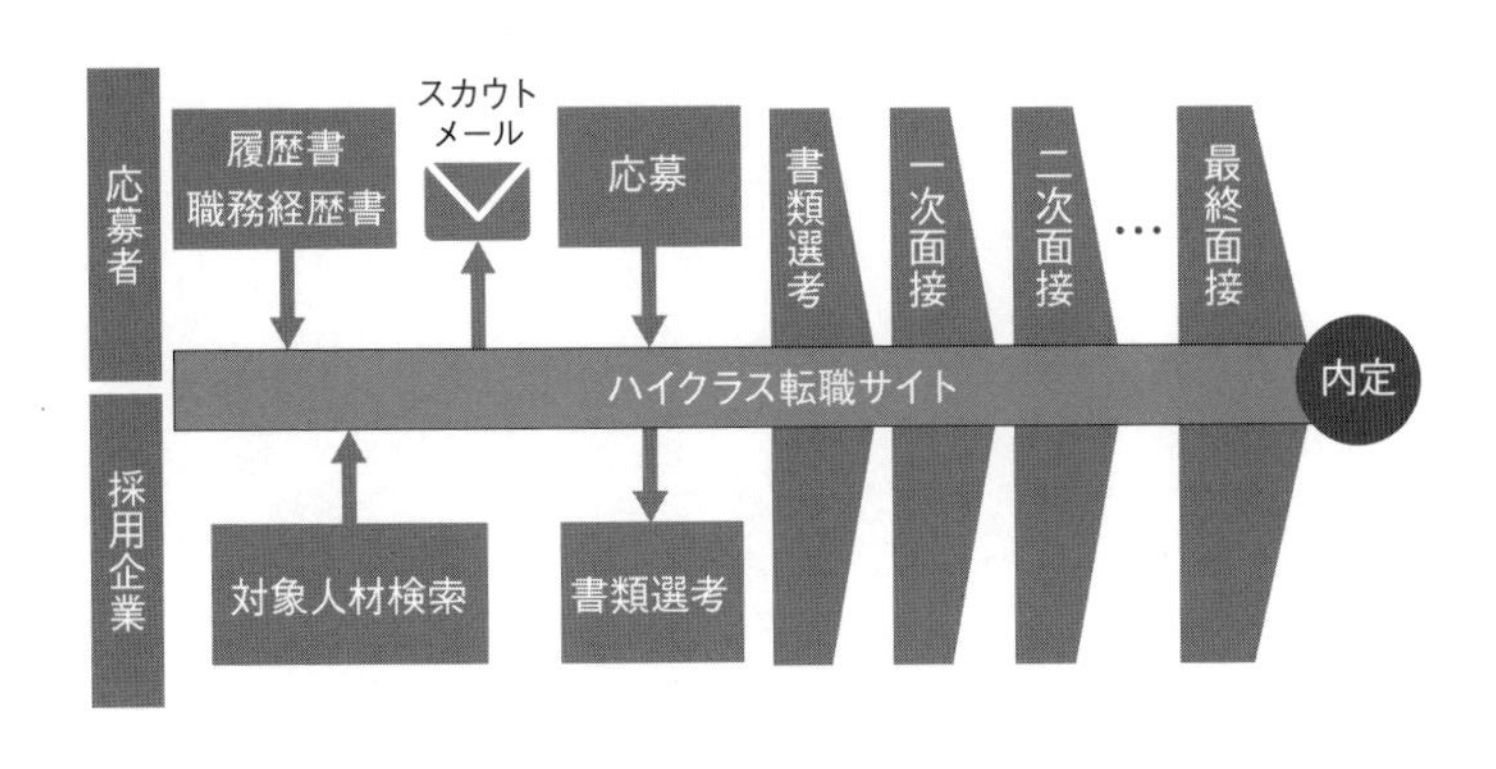

ハイクラス転職における採用プロセスの例

側の採用方針が変わり、採用自体が取りやめになることもある。

採用が決まりそうになるとつい浮足立ってしまいがちであるが、最後まで結果はわからない。正式な内定のオファーがくるまで、周囲に話したり、ましてや現職に退職をほのめかすような行動は慎むべきである。

コンサルへの転身はそれほど甘くない

一般的にコンサルタントとは、ある特定分野において専門的知識と経験を有し，顧客の持ち込む問題に対して相談に応じたり，助言を提供したりする職業をいう。

ＩＴスキル標準にも「コンサルタント」という職種があり、ＩＴ企業のなかでもコンサルタントの肩書で活動する人は多い。

例えば、ＥＲＰ（統合業務）パッケージを導入するＩＴ屋をコンサルタントと称することは一般的である。またプリセールスや要件定義などの上流工程を担当する場合や特定の製品技術に知見があるＩＴ屋をコンサルタントと称するケースも多い。

しかし、一口にコンサルタントといっても、ＩＴ企業とコンサルティングファームでは仕事内容は異なる。ＩＴ企業の場合は、極論すればその会社に勤務する肩書の1つである。つまり、職種としてはシステムエンジニアに近い。また、評価のされ方もスキルアップの方法も一般的なシステムエンジニアとあまり変わりはない。

しかし、これがコンサルティングファーム(IT系以外)の場合は状況が異なる。このようなコンサルティングファームには、MBAホルダーもいれば公認会計士などの資格取得者、さらには金融機関や一般企業で豊富な経験と人脈を有する人など、さまざまなキャリアを持った人材が集まってくる。むしろIT屋は少数派である。そのような環境のなかでIT屋が仕事をするには勝手の違う面が多々ある。そしてこれらを解決できなければ、場合によっては仕事が

メリット	デメリット
・年収が高い	・激務
・優秀な人材とともに仕事ができる	・ITに関する資料・情報が少ない
・その後の転職が容易	・実機で試したくても検証環境がない
・その後のキャリア選択肢が広い	・知らないことでも対応が必要
・ステータスが高い	・マネージャ以上になると営業もしなければならない

IT屋のコンサルティングファーム転職のメリットとデメリット

与えられず、短期間で退職を余儀なくされるケースもある。実際に、私もこれまで2回コンサルへの転職を行ったが、1度目は職場にうまく馴染むことができなかったという苦い経験をしている。

ユーザー企業の芝生は青く見えるだけ

主にＳＩｅｒなどで受託システム開発に従事してきたＩＴ屋のなかには、今後のキャリアパスとして、金融機関や一般企業などのユーザー企業の情報システム部門へ転身を考える人もいるだろう。最近は、子会社での採用ではなく、本体での正社員としての採用もあるため、このような求人に関心を寄せているＩＴ屋も多い。

確かに近年はＤＸの流れを受けて企業はデジタル人材を確保する必要がある。しかし、この流れに身を任せることはＩＴ屋としてのサクセスストーリーでないと私は考えている。

というのは、数年前「ビッグデータ」が話題になり、データ分析や数理解析を得意とする技術者の多くが「データサイエンティスト」としてユーザー企業に転身した時期があった。そのように転身した人が満足していたかは甚だ疑問である。なぜなら、

- 自分が分析したデータの意味や有効性が社内で理解されない
- 分析するのに必要なデータが揃わない
- データ分析を行うためのツールが十分に準備されていない
- 自分の専門性が会社や周囲に評価されにくい

といった声を聞くことも多く、短期間でその企業を退職してしまったケースもある。

また、日本企業の情報システム要員の数は全社員数と比べて圧倒的に少ない。これでは日常のパソコン、ネットワーク、システムのトラブル対応などを含む運用サポー

メリット	デメリット
・システム化構想や上流工程に携わりやすい	・プログラミングやサーバー構築などの実務に携われない
・ベンダーマネジメントの知識が身につく	・ヘルプデスク業務がメインになりがち
・企画から開発、運用保守まで幅広い知識が身につく	・一人でさまざまな業務に対応しないといけない
・業務や業務システムの知識が身につく	・IT部門以外に異動になる場合がある
・残業は少な目	・トラブルなどで急に忙しくなる場合がある

ユーザー企業転職のメリットとデメリット

トで手一杯になってしまう。対応すべき範囲もＩＴ企業での勤務時よりも多岐にわたり、入社前の専門性だけでは太刀打ちできないケースも多い。

ユーザー企業で活躍するには、これまでのスキルだけでなく、システムの全工程に対する幅広い知識や、ユーザーの要求に迅速・確実に応える対応力を身につけなければならない。

人材派遣はシニアIT屋でも可能か

ＩＴ人材不足と叫ばれるなか、ＩＴ人材派遣市場が活況だ。厚生労働省「労働者派遣事業の集計結果」(令和３年６月１日現在)によると、派遣労働者数は約１６９万人とされており、働き方の１つとして人材派遣が一般的なものになっている。さらにいえば、主に受託開発の場合だが、ソフトウェア産業の黎明期から、日本のＩＴ技術者の調達は人材派遣の上で成り立っているといっても過言ではない。

つまり、もともと旧特定派遣登録で多くのＩＴ屋がシステム開発の現場に入っていたことを考えると、使う側も働く側も正直なところあまりハードルは高くない。

また、このようなＩＴ派遣は指揮命令の有無に違いはあれ、客先の方針に従って作業するという意味では、後述する業務委託と実質的には変わらない。

派遣社員がフリーランスの業務委託と大きく異なるのは、有期であったとしても派遣会社と雇用契約を結び、その期間によっては社会保険や労働保険の加入があり、通勤交通費などの面では会社員と遜色ない面である。

一定の期間、同じ派遣先で就労すれば、派遣先企業に正規雇用される可能性もある。再度正社員として活躍できる可能性も考えられ、人材派遣でキャリアを積むという選択肢はある。確かに、厚生労働省の「平成29年派遣労働者実態調査」によると、派遣労働者の55％以上が40歳以上である。もちろん

メリット	デメリット
・自分の希望する条件に合致した仕事を選べる	・雇用が不安定
・出産・介護など自分のライフイベントに合わせて働ける	・年齢が高いと採用のハードルが高い
・有給休暇、社会保険、交通費などが付与される	・時給制のため収入が一定しない
・比較的高い年齢まで働ける	・スキルアップしても評価は上がらない
・正社員登用のチャンスがある	・補助的な業務が中心となる

派遣労働者のメリットとデメリット

この数値にはＩＴ屋以外も含まれている。一般事務に近い形で企業のＩＴにかかわる業務に従事している派遣労働者も相応にいるだろう。

しかし、いくら派遣労働者の高齢化が進んでいるとしても、派遣労働者を受け入れる企業からすれば、若くて賃金の安い人材を求める傾向は強い。つまり、派遣社員からすぐに正社員採用につながるわけではないのである。派遣でいつまでも働き続けるというよりも、派遣から先にあるキャリア展開までを考えていく必要がある。

ＩＴフリーランスでの独立は簡単？ 難しい？

ＣＨＡＰＴＥＲ１でも説明したが、近年ＩＴフリーランスとして独立開業するＩＴ屋が増加している。たしかに、一見すれば自由な働き方ができる。さらに昨今のＩＴ技術者不足の影響もあり、エージェントに登録すれば数日から数週間で案件紹介が得られる場合もある。さらに、スキルや経験にもよるが、正社員時代よりも高額な報酬が得られるチャンスもある。ＩＴフリーランスは年齢や会社のしがらみを気にすることなく、まさに自分の「腕一本」で生きていけるシニアＩＴ屋にとって有効な働き方である。

その一方で、デメリットも多々あることを十分に理解しておかねばならない。まず、案件の委託元企業とフリーランス個人は、基本的に対等の立場で業務委託契約を結ぶということだ。つまり会社員と違って、すべての責任が本人に降りかかってくるのである。具体的には、これまで会社に依存していた税金、社会保険、文房具や交通費といった諸経費にいたるまで、すべて自身で処理、負担をしなければならない。また、フリーランスが増加しているとはいえ、社会的な信用は会社員と比較して低い。そのため、住宅ローンやクレジットカードなどの与信限度額も大きく引き下げられることも多い。これによりローンが組めなくなるようなことや、クレジットカードが使えなくなる場合も想定しておく必要がある。

そしてなにより考えておかねばならないのが、ある日突然仕事が途切れることや、病気やけがで仕事ができなくなることなどにより、生活が困窮する可能性があるということである。自由の代償としてのリスクが高い状況も理解しておかなければならない。

しかし、私自身の経験だが、一般的に言われているようなフリーランスのメリットやデメリットは必ずしも当てはまるものではないと考えている。例えば、フリーランスのメリットである年齢や会社のしがらみからの解放であるが、これには限度がある。案件によっては応募する年齢に制限のあるケースも存在する。また、勤務時間の遵守や常駐を求められることもある。さらに、勤務時間の著しい不足や、スキルのミスマッチにより十分な成果が出せないような場合には契約解除されることもある。近年は、ＩＴフリーランス案件を紹介するエージェントも増加している。このようなエージェントを利用することで、万が一取引先とトラブルになったような場合でも仲裁に入ってくれることや、別の案件を紹介してもらえることもあるため、リスクは低くなる。

なお、正社員でも、ローンやクレジットカードの与信に影響する場合もある。例えば、

- **日本に進出したばかりの外資系企業**
- **スタートアップのベンチャー企業**

に転職したような場合だ。勤務先である会社の信用が低いために、ローンやクレジッ

一般的な IT フリーランスのメリット・デメリット	
メリット	デメリット
会社員時代より額面上の収入がアップする	社会的信用が高くない
自分自身の裁量が大きい	収入の保証がない
時間と体力が許す限り好きなだけ働ける	税金・社会保険はすべて自分で払う
経費として自由にお金が使える	仕事を得るための営業力が必要
スキル・経験を最大限活かすことができる	自己管理がすべて

私の経験による IT フリーランスのメリット・デメリットの実際	
メリット	デメリット
中小企業向けのクレジットカードなどは利用できる	案件により収入がダウンすることがある
営業活動に応じて仕事を得ることができる	開業当初は案件を受注することが難しい
法人になれば会社としての扱いを受けられる	年齢・スキルで応募する案件が限定される
稼いだ分は自由にお金が使える	案件元の制約の中で仕事を進める必要がある
スキル・経験を最大限活かして仕事を選べる	シニアになると長時間働けない

私の経験によるITフリーランスのメリットとデメリットの実際

トカードの与信が下がるケースもあり、注意が必要だ。

シニア人材採用ビジネスに要注意

高齢化社会の流れを受けて、さまざまな業種でシニア人材を活用する動きは活発であるが、40歳以上のIT屋が転身することには難しい側面がある。

CHAPTER1で述べたように、IT屋を雇用する側であるIT企業もシニアIT屋の活用を模索しているのが現状である。近年、積極採用している企業も出始めているが、シニア人材を活かす土壌が出来上がっていないIT業界で、シニア人材を積極採用することは果たして本当に可能なのだろうか。

顧問ビジネス

大手・上場企業で培ってきた経験や専門性を活かし、経営顧問として中小企業やスタートアップを支援する「顧問サービス」の募集を見かけることがある。中小企業のIT化は大企業ほど進んでいないこともあり、IT分野での顧問採用もあるが、経営環境が厳しいなか、すべての中小企業が躍起になってIT化に取り組むほどの機運もない。

実際、商工中金の「中小企業のIT導入・活用に関する調査(2021年)」では、約6割の企業が「IT導入を実施または検討中」とあるが、その多くはWeb会議やテレワーク、財務会計システムの刷新などにとどまっている。そのようななかで、中小企業の経営者が、わざわざ元大企業のIT屋を顧問として雇ってまで自社のIT化を推進するようなことはまずない。これは、実際にある顧問派遣会社から聞いた話だが、顧問先である中小企業が求めているのは、あくまで顧問の人脈であり、そこから販路拡大を狙うことが目的である。そのため、人脈のない人材が顧問として採用されることはなく、人脈が枯渇すれば顧問契約が終了してしまうこともある。

シニアIT人材採用

同年代のIT屋から聞くところによると、一部のIT企業のなかには中高年のIT人材を正社員として一定数採用している会社があるようだ。しかしそのような企業の実態は、体のいい派遣やSESであることが多い。また仮に、受託開発などのプロジェクトに入ったとしても、会社からなんら明確な指示や指導といった話もない場合が多いと聞く。要は、「自分で仕事を見つける」姿勢が求められるのである。

このように単に「正社員」という肩書にとらわれすぎていると、シニア人材採用ビジネスの餌食になることもある。そしてこのような場合、自分の人脈・キャリアに傷がつく可能性があることを十分に注意すべきである。

自分はＩＴといつまで、どのようにかかわっていきたいか

本章では40歳以上のシニアＩＴ屋が考えるべき「働き方」について説明してきた。正社員はリスクが低く、派遣やフリーランスだからリスクが高いとは必ずしも言えない状況にあることも述べた。

だが考え方を変えてみれば、いまの会社を辞めて転身を図る方法に、転職以外の選択肢が増えたといえる。つまり、雇用形態や働き方の多様化によって、自分自身の「身の振り方」もさまざまな形がとれるようになったのである。

しかしそこに必要なのは、会社員やフリーランスといった働く手段ではない。大事なのは、これからの人生をどのように送るかという目的を定め、自分自身がＩＴ屋としてＩＴにどうかかわっていきたいかというマインドを持つことである。そしてそれを実現する手段として、どのような形で働くかを考えていくのである。

これからの人生の目的は、「仕事をしないで豊かな人生を送る」「ＩＴとは別の商売をする」など、人により千差万別だ。要はそれらの目的を実現するために、ＩＴ屋であるメリットを最大限に活かし、まずはＩＴとのかかわり方を考える。そのうえで、「未来を生き抜く手段」として自分が力を発揮できる働き方を選んでいくべきである。

CHAPTER

3

IT屋が人生100年時代を生き抜く3つの法則

ここまで、生き方や働き方、意識を変えていくのと同じように、シニアIT屋は「ライフシフト」をするべきであると説明してきた。ではどのようにライフシフトを考えていけばいいだろうか。本章ではそのようなシニアIT屋のこれからのライフシフトへの考え方について説明する。

IT屋がライフシフトするための課題

日本と欧米でのキャリア形成の根本的な違い

40歳以上のシニアIT屋がライフシフトをするためには大きな課題がある。それは、CHAPTER2で説明してきたように多くの人が、「会社中心」にキャリアを形成してきたことである。

近年はジョブ型雇用が注目されているが、採用は依然として新卒一括採用であり、大卒の場合は総合職採用が主流である。4月に就職してから、入社した企業のなかで決められた配属先でさまざまな経験を積みながらキャリアを形成していくことが、日本では一般的である。

一方、欧米ではどうかといえば、職種ごとの随時採用が一般的で、基本的には新卒一括採用という概念はない。そのため各企業の採用基準は、あくまでその職種で「即戦力」になるかどうかとなる。そして採用自体も欠員時に随時行うケースが多い。新卒という特別枠もなく、原則として中途採用と同じように、これまでの職務経歴から採用が判断されるのである。そのため学生時代から大学での勉強に加え、さまざまな資格の取得、さらにはインターンシップでの経験など、入社する前から自身のスキルを積み上げていく。そしてキャリアに磨きをかけてから実際に就職していくのである。

日本における新卒の就職活動の目標はあくまで会社に入ること、つまり就社である。そのため、会社に入ってから先のことは二の次になっている。近年、日本企業でも通年採用やインターンシップを採り入れる企業は増えている。だが、これらはあくまで海外の大学卒業生の獲得や企業PR的な目的が強い。日本と欧米とのこの違いが、その後のキャリア形成にかかわる大きな違いを生んでいることは意外と気づかれ

	日本	欧米
採用活動	新卒一括採用（定期採用）	キャリア採用（通年採用）
募集職務	採用時には明確に定めない（総合職採用）	職務定義（Job Description）明確に定義（ポジション別採用）
応募書類	エントリーシート、履歴書	職務経歴書、履歴書、推薦状

日本と欧米で異なる新卒採用事情

ていない。

ここで、読者のみなさんが新卒採用された（もしくは初めて就職した）あとのキャリア形成について思い出してみてほしい。就職活動を終え、新入社員として採用されたあとは、ビジネスマナーや仕事に必要な一般知識などについて集合研修を受けたはずである。ＩＴ企業の場合は、これにプログラミングなど、ＩＴ屋として働くための基本的な研修を受けるのが一般的である。そして集合研修を終えるとおのおのが部署に配属される。ここからは主にＯＪＴ（オンザジョブトレーニング）として、配属先の先輩や上司の指導を受けながら現場で経験を積んできた人が多いだろう。

だが、配属された部署はそもそも自分が望んでいた部署だっただろうか。あるいは、希望して配属された部署が当初思っていたイメージから大きく異なるということはなかっただろうか。自らキャリアを選んで就職していく欧米と比べ、日本ではいわば会社が作ったキャリアのなかで私たちは頑張っていくわけである。それにもかかわらず、あとになってスキルが時代遅れであるなどと言われるのは、個人の問題ではなく、会社が行ってきたキャリア形成の結果であると言っても過言ではない。

とはいえ、社会の変化や自分が望むべきキャリアを会社が与えてくれるのを待っている暇もない。一人一人がいままで培ったものをベースに、自らのキャリアを切り拓いていくべきなのである。

いまの専門性を武器に新たな自分自身の価値を創造する

個人の人生は会社のつくったキャリアに左右されるべきではない。しかし、それをいま声高に叫ぶばかりではなにも始まらない。新卒から20年以上が経過したいまとなっては、再び一から自分自身のキャリアを考え、そこから新たなキャリアを見出し歩んでいくような時間的余裕もない。むしろ、これまで築いてきたキャリアを武器に自分が望む新たなキャリアを創造していく方が得策ではないだろうか。

ＩＴ屋には、スキルのベースとなる技術がある。そして、その技術をもとに、さまざまな職務において第一線で自分を戦力化してきた実績がある。それらのキャリアをいまの技術トレンドに合わせて軌道修正を行いながら磨き上げることによって、新たな自分自身の価値を創造することができるはずである。これこそがシニアＩＴ屋がライフシフトを行うための根幹である。

しかし40歳以上のシニアＩＴ屋が、これまで蓄積してきたスキルを変革することは、今日、明日にできるものではない。まずは、おおよそ20年以上の年月をかけて身につけてきた考え方を変革することが必要である。

さらに重要なのは、これまでのキャリアの枠や所属している会社にとらわれず、広い視点で自分のキャリアを見つめ直すことである。私自身も何度かキャリアチェンジを行ってきた。そこで常に意識してきたことは、次の3つである。

- **ＩＴ屋としての自分の専門性を広く考える**
- **その実現策を検討実施する**

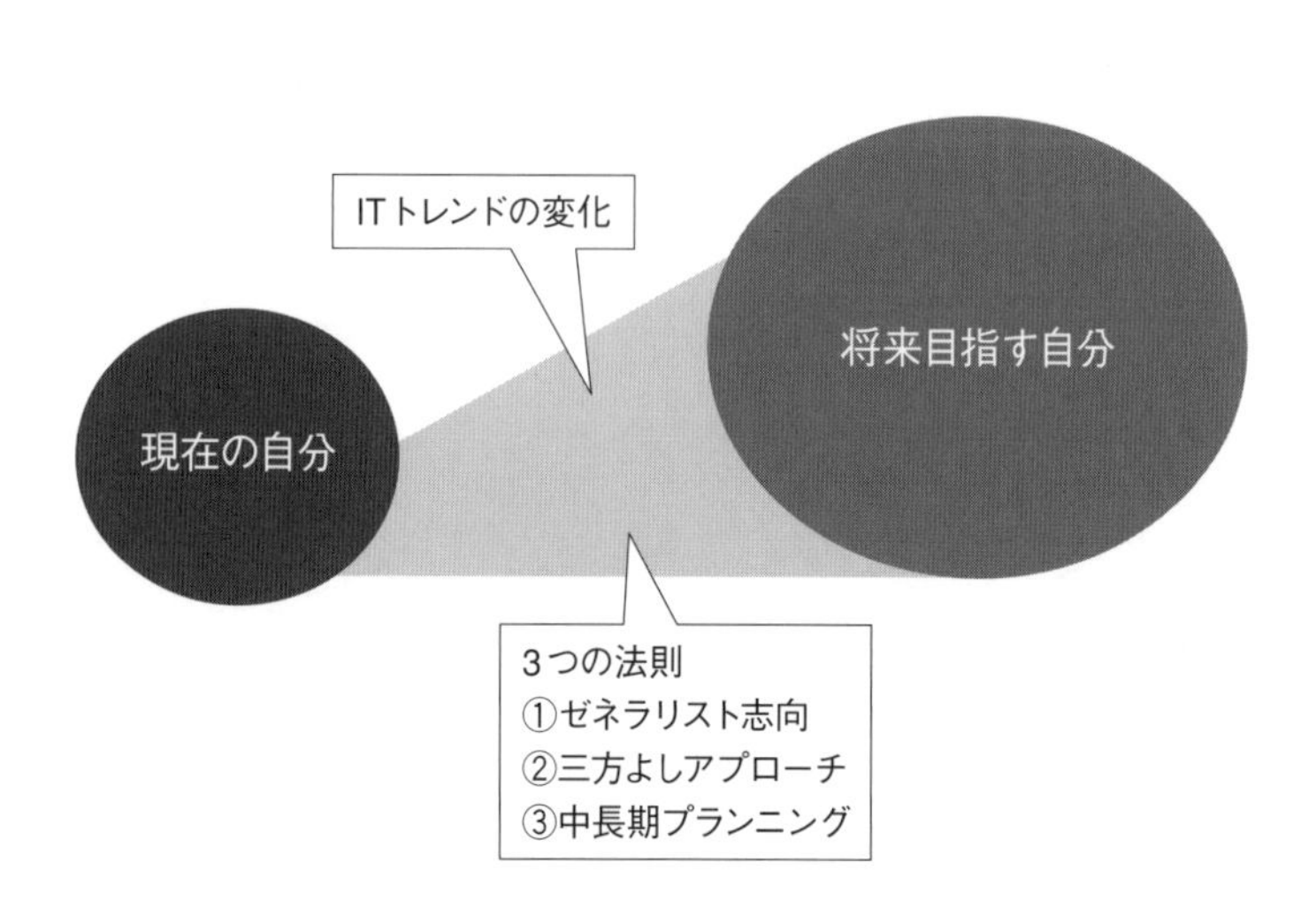

IT屋のキャリア形成イメージ

●中長期の視点からなりたい自分になる

そしてこれらを具現化したものが「3つの法則」である。

3つの法則

～IT屋の技術と経験を継続的な武器に変える

私は、34年間ＩＴ屋として活動してきたなかで、数年に一度の割合で意図的にキャリアチェンジを図ってきた。これは高度な専門性が重要視されるＩＴ屋の世界では、かなり特異なキャリアである。しかしそのなかで学んだことは、いくつになってもＩＴ屋は、自分の技術を磨いていくことでキャリアチェンジができるということだ。と同時に、ＩＴ屋の技術と経験を継続的な武器に変える次の3つの法則に気づいたのである。

●法則1　ゼネラリスト志向　……キャリアを俯瞰的に見つめ直す
●法則2　三方よしアプローチ　……「誰に」「どのような」価値を与えるかを考える

それまでは、私自身も地位や収入など、目先のことにとらわれてキャリアチェンジを行っていた。しかしいま振り返ると、結果的にそれは遠回りであったと感じている。まずは自分のこれまでのキャリアを見直して、これからの人生設計に活かすことが重要なのである。さらにいえば、自分の最終目標はＩＴ屋である必要はない。将来的にＩＴ以外の仕事をするにしても、自分の人生目標に到達する手段の１つとして、「ＩＴ屋であることを利用する」ぐらいの思いで進めていくべきだろう。

法則1　ゼネラリスト志向　～キャリアを俯瞰的に見つめ直す

一般的に「ゼネラリスト」とは、保有している知識や技術、スキルが広範囲にわたる人のことをいう。一見すると、本来追求しなければならない特定の領域において高度な専門性を持つＩＴ屋とは真逆に思えるかもしれない。ここでいうゼネラリスト志向とは、ＩＴ屋一人一人に広範囲なスキルを身につけることを求めている話ではない。1つの技術に対して、さまざまな角度からそれに必要なスキルを評価できるようになることを意味している。

IT屋に求められるゼネラリスト志向とは

例えば業務システム開発の知識・経験が長いIT屋がいるとしよう。その人はフルスクラッチでの開発経験が長いので、ITスキル標準の職種・専門分野上は、「アプリケーションスペシャリスト」となる。しかし、チームを率いて進捗管理したという経験も相応にあるならば、「プロジェクトマネージャ」として今後活躍する場合もあるということになる。このように、一人のIT屋の経験をさまざまな角度から見ることによって、その人が活躍できるステージもおのずと広がってくるのである。

40歳以上のシニアIT屋は多かれ少なかれ、なんらかのスペシャリストとして活動している人が多い。そして現在の職種や専門分野をベースに、これからのキャリアを考える人が多いだろう。なかには「自分の職種は○○だから、自分の行う範囲はここからここまで」と自身のキャリアやスキルを無意識に線引きしてしまうような人もいる。

だからこそいま一度、あなた自身のスキルについて考えてみてほしいのである。今後1つの枠組みにとらわれることなくキャリアを磨き活躍し続けていくためには、IT業界全体から自身のスキルを見つめるようなアプローチが必要なのである。ITスキル標準などはキャリアやスキルを定義するためのフレームワークであり、あくまでスキルのレベルを測る「ものさし」にすぎない。キャリアを俯瞰的に見つめ直すことで、あなた自身が複数の職種、専門分野を兼ね備えていることがわかるはずである。

例えば実際に開発プロジェクトの現場には、次のような役割を一人でこなす人もいる。

●コンサルタントとして顧客を導き、業務を改革

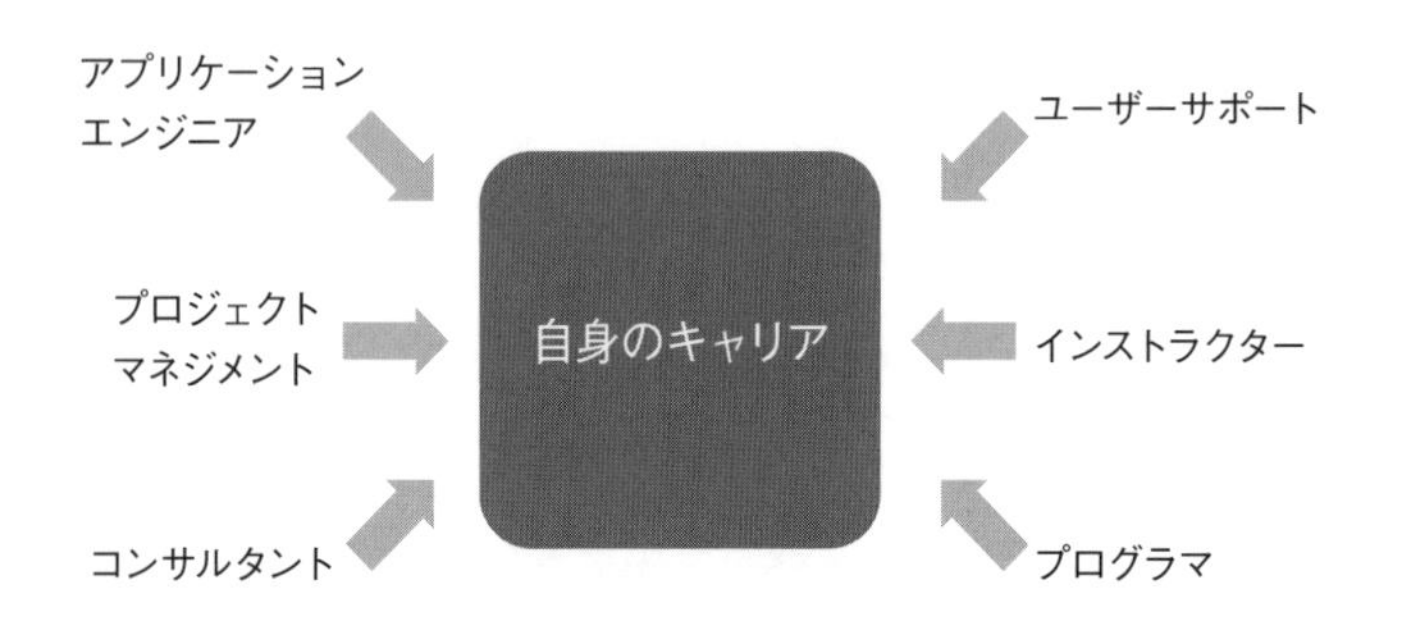

(法則1) IT屋のゼネラリスト志向

する
- **幅広いITの知見を踏まえてアーキテクチャ設計を行う**
- **プロジェクトマネージャとしてチームを率いる**
- **プログラマとして実際にコードを書く**

スーパーマンのようにここまで一人でこなすのは難しくても、長いＩＴ屋人生のなかで、あなた自身も一人で何役もの役割を職務で担ってきたはずである。それをたった1つのキャリアの枠のなかに押し込むのはもったいない。持ち合わせるスキルを遠慮せずに発揮していけばいいのである。そして、このような力を発揮するためには、常にあらゆる角度から自分自身を見つめ続けていくことである。つまり、ＩＴ業界の仕事全体から、自分のキャリアとスキルを多面的に見る「くせ」をつけていくのである。普段からそうした観点で自分を見るようにすれば、柔軟な対応ができるようになる。

法則2　三方よしアプローチ

～「誰に」「どのような」価値を与えるかを考える

私はＩＴ屋がライフシフトを行うための重要な考え方として「三方よしアプローチ」を提唱している。ここでいう三方よしは、いわゆる近江商人の経営哲学のそれとは異なる。

ＩＴ屋の三方よしアプローチとは、自分自身が目指すキャリアに向かうための具体的なアプローチである。

ＩＴ屋のライフシフトにおける三方よしアプローチとは

これは当たり前かもしれないが、ＩＴ屋の根幹はあくまで自分自身が有している「技術力」に他ならない。しかし、せっかく持ち合わせている技術力であっても世の中から評価される、つまり売れるものでないと、単なる自己満足になりかねない。

また、せっかく売れる技術を持ち合わせていても、それを継続的に維持していかなければ、テクノロジーの変化とともにいつしか陳腐化してしまう可能性もある。

私はＩＴ屋のライフシフトへのアプローチとして、次の3つのバランスを重視している。

- **技術スキルを維持する力　＝技術力**
- **自分の技術の優位性を伝える力　＝営業力**
- **技術が変化しても自分の技術を守る力　＝管理力**

これが第2の法則「三方よしアプローチ」である。

ＩＴ屋、とくにシステムエンジニアやプログラマといった職種の人は、専門特化した職業であるがゆえに、どちらかといえば自分の「技術・スキルの熟練度」を中心に

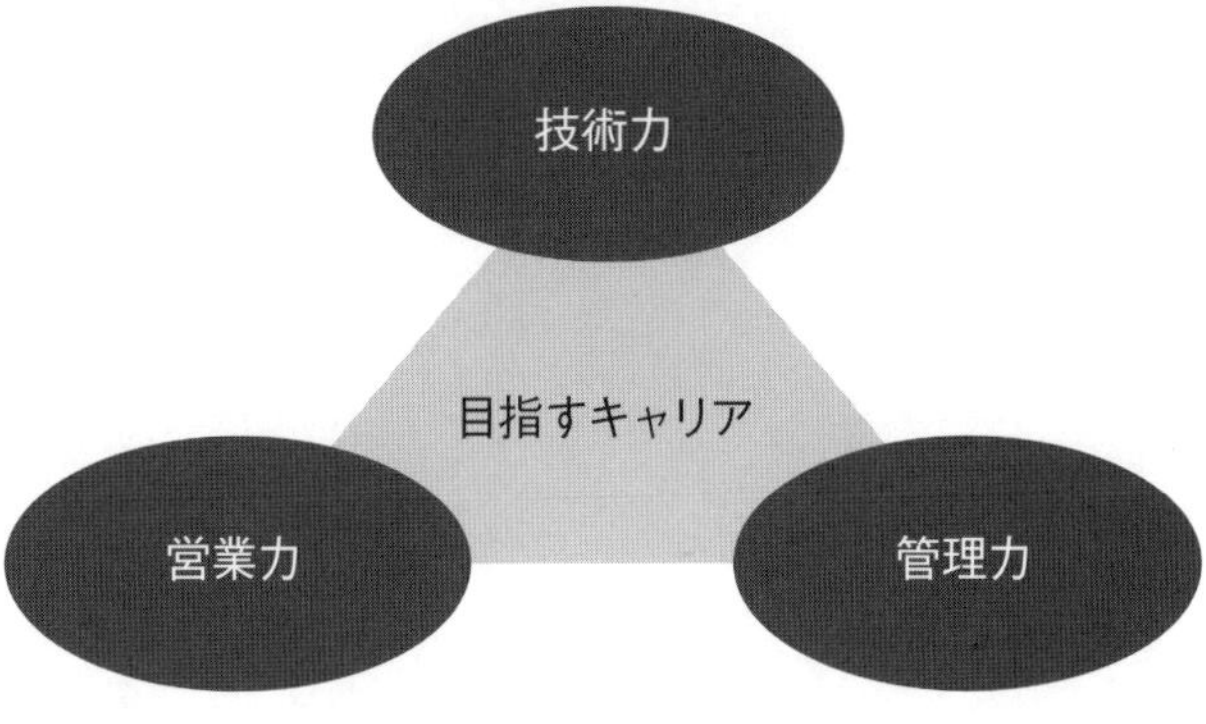

（法則2）IT屋の三方よしアプローチ

キャリアを考えがちだ。しかし、いくら素晴らしい技術であっても、それが世間から評価されなければ、宝の持ち腐れである。苦労して身につけた技術であっても、時代遅れになってしまったような場合、極端にいえば、「売れない技術者」の烙印を押され、技術者としての市場価値も下落するのである。このことは会社員であれフリーランスであれ変わりはない。結局のところ、IT屋は「自分の技術にあぐらをかいていてはいけない」ということである。

それを防ぐには「技術力」に加え、自ら道を切り拓くための商品である自分の技術の優位性を伝える「営業力」、そして継続的にその技術を守るためのお金と人脈を確保する「管理力」が必要なのである。この3つのバランスこそ、自分自身の身を守る策にほかならない。

IT屋の基本は「技術力」

IT屋にとっての「商品」は、まぎれもなくIT屋一人一人が持つ「技術」である。しかしITの世界ではその変化のスピードは非常に早い。ともすれば数年で、自身が学び、磨き上げてきた技術が陳腐化することもある。またIT屋が持っている技術の価値もそれと連動して、その価値によって得られる地位や報酬も変わってくる。そのためIT屋は生涯勉強し続けなければならないが、学ぶべき技術スキルを明確にしておかないと、いくら勉強時間があっても足りない。

◆いま習得すべき知識・スキルを明確にする

ITのトレンドや流行だけを追いかけて新しい技術をやみくもに学んでも、きりがない。そこで必要になってくるのが、自分自身の持っている技術の「強み」と「弱み」をきっちりと把握することである。つまり、自分の技術を他者に誇ることができる部分と、いま以上にスキルを磨き補強すべき部分を明確にすることである。そうすることで体系的に新たなスキルを習得できる。

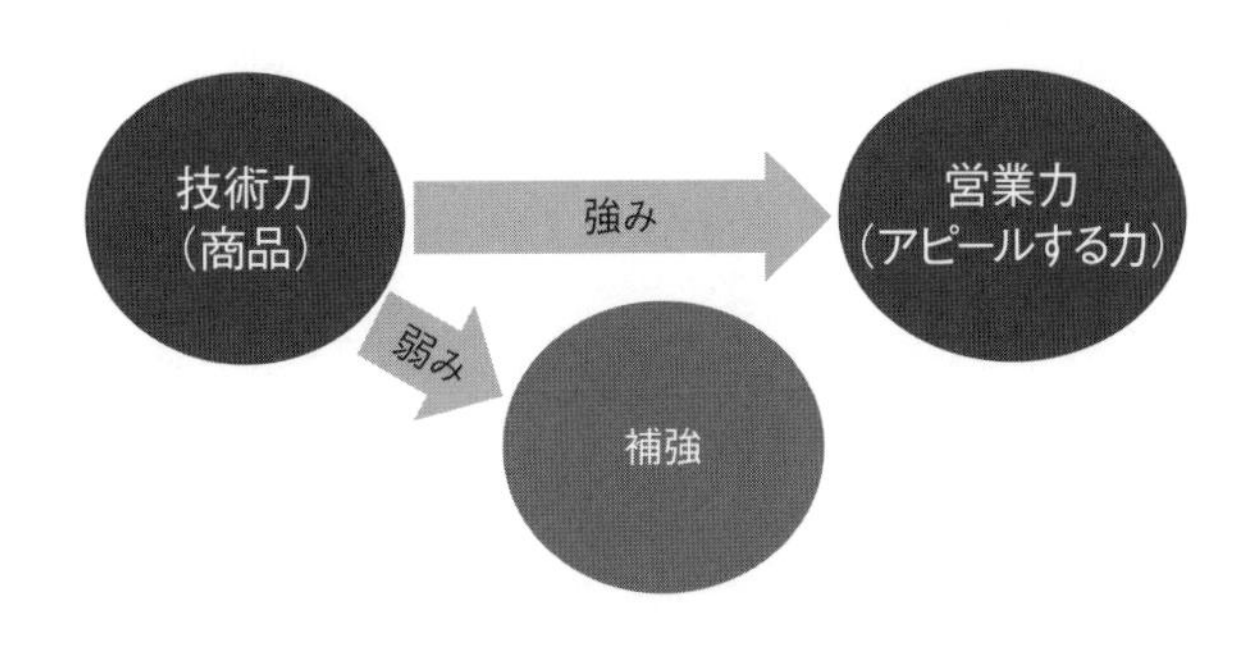

IT屋の技術力

例えば、これまで会計や人事といった業務システムの導入開発、とくに要件定義などの上流工程で経験が深い人がいるとしよう。このような業務システム開発では、設計やプログラミングではなく、システム要件を正しく聞き出すための業務知識が重要だ。そこで会計や人事の業務知識、関係する法規制などについてのスキルを補強していけばよい。そうすれば新しい制度や法規制に対応するためのシステム要件を、顧客と対話しながら迅速・確実に引き出すことができるようになるのである。

自分の技術の強みを引き立たせ優位性を伝える「営業力」

「営業力」といっても、エンジニアであるＩＴ屋に営業へ職種転換することを求めているわけではない。ましてや自社の商品やサービスを売ってくることを求めているわけでもない。ここでいう営業力とは、「自分の優位性を他者にアピールする力」のことである。

◆まず必要なのはコミュニケーション力

他社に転職するにしろ、フリーランスに転身するにせよ、自分自身のことを明確に相手に伝え、良い印象を与えることは必要不可欠だ。ＩＴ屋のなかには、技術に長けていても、人づきあいやコミュニケーションが苦手という人は多い。そのためどんなに優れた技術やスキルを持っていても、好印象を持ってもらえないような人もいる。つまり相手と良好なコミュニケーションをとらない限り、自分の強みを伝えられないのである。

◆自分の商品（スキル）の価値を伝える

相手とのコミュニケーションが成立するようになったら、次のステップは、実際に自分の技術の優位性を他者にアピールしてみることだ。どうすれば自分の技術が「お客さん」に支持され、買ってもらえるのかを考えるのである。

なかには自分の商品を売り込むターゲットが周り

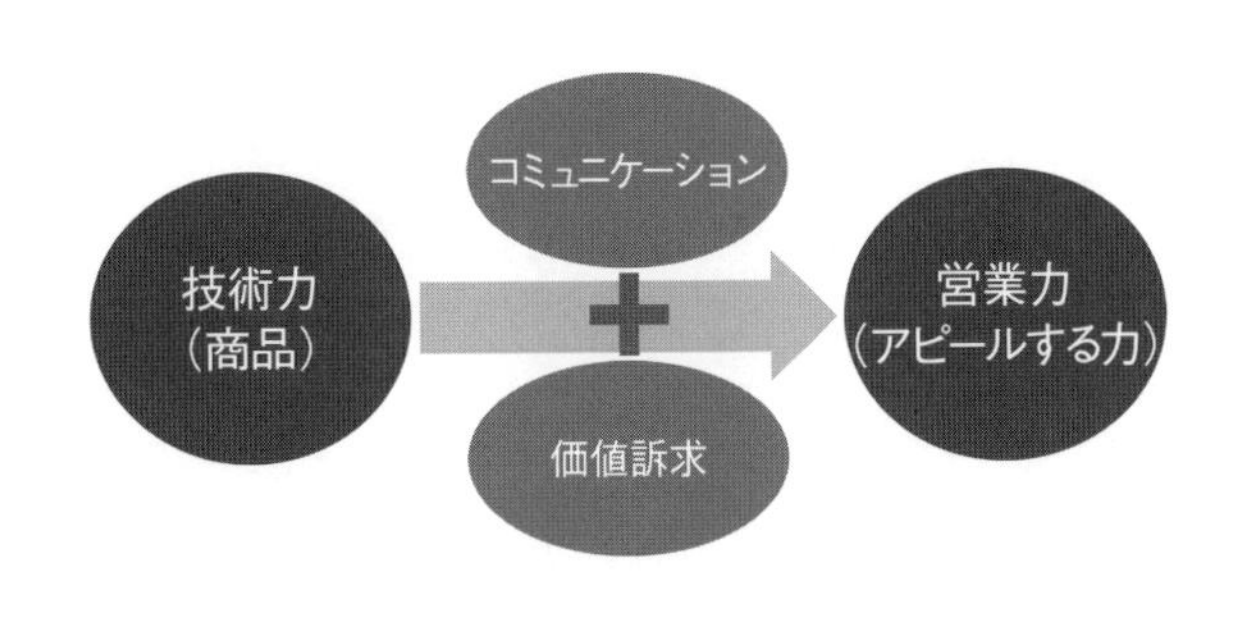

IT屋の営業力

にいないというケースもあるだろう。その場合は実際に営業する必要はなく、身近な人をお客様だと仮定して、シミュレーションするだけでも構わない。自分の意見、主張を相手に正しく伝え、自分の技術を評価させるように日々行動するのである。そしてある程度シミュレーションで自信がついたら試しに行動を起こしてみよう。会社員であれば評価面談の場を使うのもよいだろう。また、実際に転職やＳＥＳでの案件応募を考えているなら、面接・面談の場を使ってもよいだろう。いずれにしても、相手に好印象を与え、自分の評価を高めることや採用に至るなどの結果が出せればいいのである。

またこのような行動は、面接のような実際に顔を合わせる場面以外で使えることもある。私の場合、これまで経験した転職活動やフリーランスの案件応募で、職務経歴書やスキルシートの内容を毎回相手が求めているニーズに合わせて変えていた。また、自分の思いやスキルが相手により伝わるよう既存の書類に加えて、独自の補足資料を添付したこともある。これはあとでエージェントから聞いた話だが、相手が求めるスキルに合わせた自己ＰＲを行ったことで好印象を受け、私自身への理解が深まり採用に至った、とのことであった。

以来、私はそのような案件応募のときは、一度作成した内容を使い回すのではなく、職務経歴書やスキルシートにプラスアルファの対応を加えることで勝率を高めている。そして、このようなある種のコミュニケーション力により、50代が近づいてから転職に成功することもでき、いまでもＩＴフリーランスとしても案件が途切れることなく活動できている。

弱みを補強する「管理力」

スキルの強みを打ち出すと同様に、弱みを補強することも重要である。では、その弱みを補強するにはどのようにすればいいのだろうか。

ここで登場するのが、三方よしアプローチの3つ目の力「管理力」である。管理といえば、管理職という言葉があるように、誰かやなにかを管理することと思いがちだ。しかしここでいう「管理力」とは、管理するのもされるのも、自分自身なのである。つまり、自身を守るために「自分自身を管理すること」を意味する。

会社員としてＩＴ屋をやっていれば、社内の人づきあいだけで済むようなこともあるだろう。ＩＴ屋として活動するためのお金も会社の経費で賄える場合もある。

そのため、企業に勤めている場合であればあまり意識しなかったことかもしれない。しかし自身を管理する(自分の技術を守る)には、ＩＴ屋として自分自身の技術を磨き(技術力)、その優位性を他者にアピールする(営業力)ために、必要な原資(人脈・お金)をどう確保するかが必要となるのである。

◆自己投資に対する日本人と欧米人の意識の違い
～スキル獲得は自己投資

数年前にアメリカで開催されたあるＩＴベンダーのカンファレンスに参加して驚いたことがある。全世界から多数のＩＴ屋が集まっていたのだが、欧米人のなかには、会社の経費ではなく自費で参加していた人が相応数いたのである。

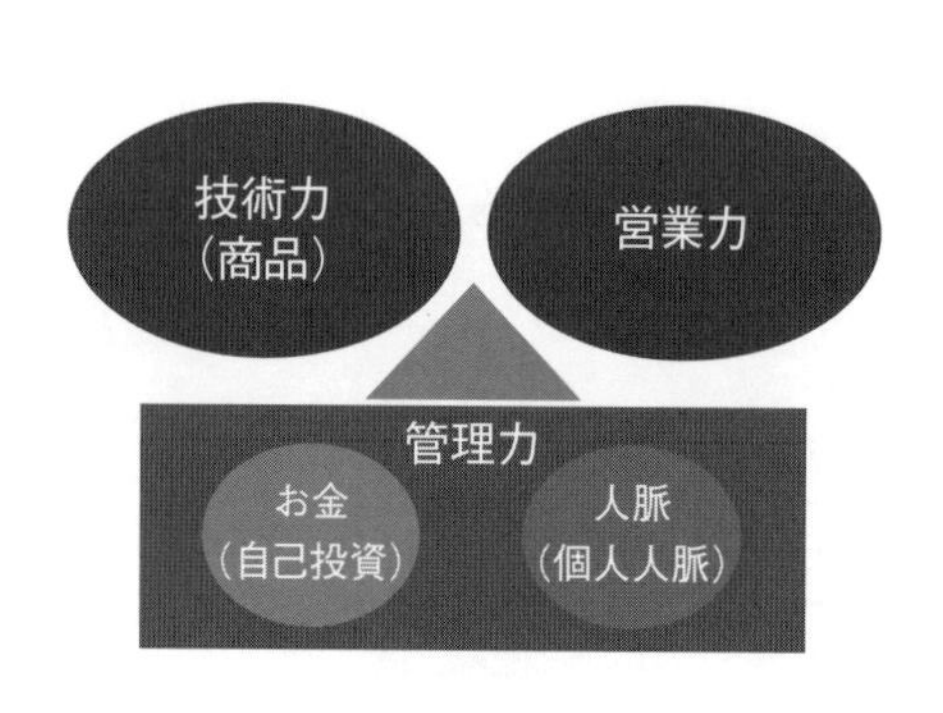

IT屋の管理力

一方、私を含む日本人は全員会社の経費で参加していた。当然ながら自費で参加した欧米人は、「投資」したお金を回収しようと必死である。まじめに受講することはもちろんのこと、講師に積極的に質問を行い、参加者とのネットワーキングも活発であった。この光景を目の当たりにしたとき、キャリア・スキルを獲得するための欧米人と日本人の意識の違いを感じざるを得なかった。そこで何人かの欧米人に「なぜそこまでするのか?」と聞いてみたところ、「自分が選んだキャリアを磨くための投資は自分でするのが当たり前」だというのだ。このあたりからして、欧米人と日本人のキャリアに対する意識の違いが明確にある。

◆「人脈」は誰のものか　～会社人脈を個人人脈に変える

読者のみなさんは、ビジネスにおける人脈をどのように考えているだろうか。これは賛否両論分かれるかもしれないが、日本では「会社のビジネスで築いた人脈は会社のもの」という風潮がいまだに根強い。例えば転職するときに、ビジネス上で知り合った人の名刺をすべて元の会社に置いてくるといったことに現れている。会社が敷いたレールのうえで築いた人脈であれば、会社に帰属すると考えるのは当然かもしれない。しかし実際にビジネスを行っていると、会社などの所属する組織が変わっても維持したい人脈はある。とくにＩＴ屋の場合、過去に同じプロジェクトをともにした人のスキルをあてにしたいときもある。

実際、私も転職したときに幾度かそういうことがあった。過去の名刺は前職の会社に渡しており、連絡を取りたくても取れない状況になった。最近はＳＮＳでそのような人たちとも比較的簡単につながれるようになり、「人脈管理」も以前より相当効率的にできるようになった。ＳＮＳの普及により、転職の多いＩＴ業界では転職の挨拶はがきなどを出すこともなく、その後もコミュニケーションを継続できるようになり、人脈の維持もかなり効率化することができたのである。

しかし肝心なことは、人脈を管理する方法ではない。いままで仕事をともにした人とのつながりを、自分のこれからのキャリアを広げていくための人脈として、所属会社の枠を超えて維持することにある。そして、この先も自分の弱みをフォローするという意味で、これらの人脈を通して自分のキャリアやスキルの幅をさらに広げることができるのである。

技術力・営業力（攻める力）・管理力（守る力）の三方よしアプローチで自分を強くする

ＩＴ屋は自分の技術を売ることで生計を立てている。しかし、ＩＴ屋の多くは技術力が高くても営業経験がなく、自発的に自分の技術を誰かに売り込むような意識もないかもしれない。だが会社に依存せず自身でキャリアを伸ばしていくためには、転職・副業・派遣・フリーランスという立場の違いはあれ、自分を売り込まなければならない。ＩＴ屋も、自分の技術＝商品を自身で売り込んでいく必要がある。

一方で、「攻め」だけでなく「守り」としての投資も必要である。これは万が一のときのために貯蓄しておくという意味ではなく、自分の能力や人脈を磨くための投資である。つまり、いま在籍している会社に依存することなく自分の将来に役立つスキルを磨くための力である。さらに、自分を磨いていくためには、自身のスキルを正しく評価し、時として自分の弱みを補完してくれる人脈も必要となる。

つまり、自分自身でＩＴ屋としての人生を切り拓くには、技術力・営業力・管理力のどれ1つとして欠けてはならないのである。

法則3　中長期プランニング

～人生目標のなかで次のキャリアを位置づける

私がこれまで数多くのＩＴ屋と仕事をともにしてきたなかで思うことは、ＩＴ屋は中長期で物事を考えるのが苦手だということだ。しかし、短期計画だけでは長い人生におけるライフシフトは立ち行かない。ここを見直すのが第3の法則「中長期プランニング」である。

ＩＴ屋は短期計画には強い職種

ＩＴ屋は、関与したプロジェクトのスケジュールに従って仕事を進めている職業である。多くのプロジェクトスケジュールは、システム開発などの期間にあわせて数カ月から1年、長くても数年のスパンで終結するよう計画されている。そして、そのスケジュールのなかで与えられたタスクを確実に完遂することが求められている。いわばＩＴ屋は短期のスケジュールを繰り返しながら人生を送っている。そのため、いつしかものごとを中長期で考えることを忘れ、目先のタスクをこなすことに気が向いてしまっている。このようにに短期のスケジュールをこなすことだけに注力することが果たしてよい結果を生み出すのだろうか。

短期計画を確実に実行することは決して悪いことではない。しかしそれが習慣化してしまい、中長期での自分の人生設計を見失うとなると本末転倒である。日々のスケジュールに追われ、進捗と納期へのプレッシャーが高い状態を繰り返し、疲弊しているＩＴ屋も少なくない。またそのような日々の繰り返しに疲れ、他の仕事に就くことを考える人もいるだろう。他にやりたいことがあっ

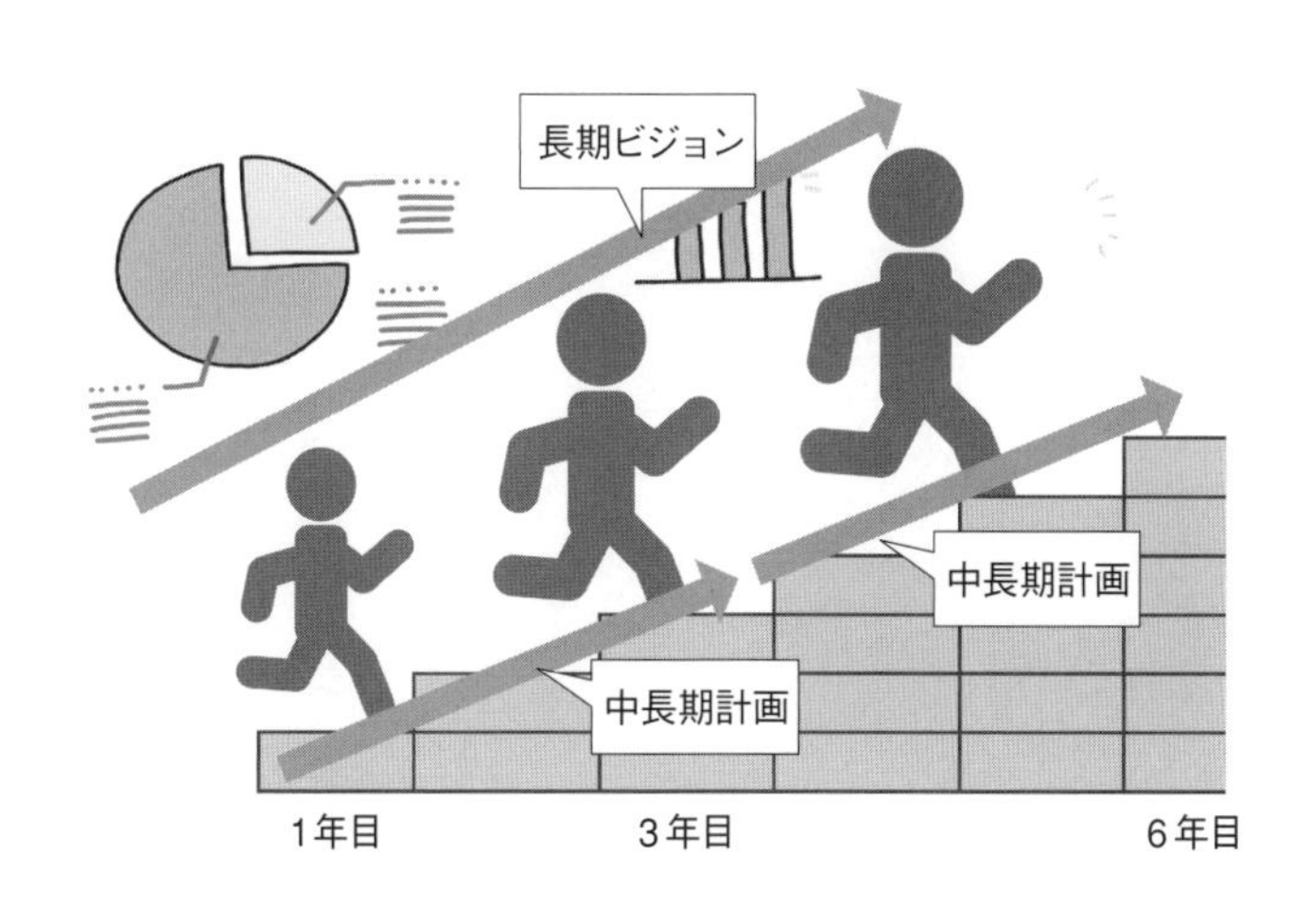

(法則3)中長期プランニング(中長期計画から年間計画に落とし込む)

て、その途上でＩＴ屋をしているのならそれでいいのかもしれない。しかし、読者のみなさんはそもそもＩＴ業界に対してなんらかの夢と希望を持ってＩＴ屋になったのではないだろうか。その夢や希望をいつしか忘れて、目の前のタスクをこなすことに忙殺されるのはいささか悲しくはないだろうか。私自身も、ＩＴ屋になった当初から何度となく自分を見失いかけたことがある。そしてその都度、ＩＴ屋として自分がなにをしたいのかに立ち返り、軌道修正を行いながら現在に至っている。

仕事とプライベートのハイブリッドの計画で成果を出す

ＩＴ屋は短期での計画の策定と実行に手慣れているが、中長期での目標・計画立案が得意ではない。しかし考え方を変えてみれば、中長期の目標や計画が定まってしまえば、年間レベルの計画に落とし込むのはお手のものではないだろうか。ＩＴ屋の年間計画の基本はプロジェクト計画であり、そのプロジェクトが完成すれば、その先は原則として別のプロジェクトに移り、そしてまた別のプロジェクトスケジュールで職務を行っているのだ。ある意味、人生設計とよく似ている。

そこでＩＴ屋にはまず中長期計画を立てることをおすすめしたい。具体的には、

- **何歳まで元気でいたいか。そのときどんな人生を送っていたいか**
- **その人生を送るためにいつまでどのような仕事をして、いくら稼ぐか**
- **そのためにこれからどのようにIT屋としての人生を過ごしていくか**

といった、ざっくりした内容でかまわない。人生の過ごし方を1年単位で考えていくのだ。そしてその年単位の計画のなかに、いま自分が担当している職務やプロジェクトのスケジュールを当てはめていくである。

しかし、仕事のスケジュールと自身の思い描く人生計画がうまく合致することはまずない。なかには仕事のスケジュールだけで1年が終わってしまうようなケースもある。このような人の多くは、まず先に仕事のスケジュールを埋めて、余った時間をプライベートに充てる傾向にある。これだと自分の人生は仕事に忙殺されていることになる。そのため、先に人生の計画をつくり、そこに仕事の計画を合わせるようにすることをおすすめしている。そしてその両方で成果が出せるように、自分の時間をコントロールしていくのである。そうすることによって、目の前のスケジュールを確実にこなしながら、中長期的な人生の目標や計画を忘れることなく行動できるようになるのである。

ＩＴ屋として生き抜く「３つの法則」を実現するために
～５つのアウトプット

ここまで、シニアＩＴ屋が今後ＩＴ屋である自分自身を活かしながら、人生を生き抜くための３つの法則について説明してきた。

次に、これらの法則を実現するための「５つのアウトプット」を用意した。

- キャリア棚卸シート
- ２５の質問
- 三方よしプランニングシート
- 将来計画シート
- 年間計画シート

本章ではまず、これらの概要を説明し、次章で実際に読者のみなさんに作業していただくことにする。まずは各アウトプットの内容とその方法をつかんでいただきたい。

法則1　ゼネラリスト志向にマインドシフトする　～キャリア棚卸シートと25の質問

特定分野のスペシャリストとして活動してきたIT屋にとって、ゼネラリスト志向にマインドシフトすることは一朝一夕には難しいことはすでに述べた。そこでまず「法則1　ゼネラリスト志向」を実現するために、2つのアウトプットを行うことでこれまで（過去）を振り返り、自分自身のキャリアに対する考え方をゼネラリストに変えていくことから始める。

◆第1のアウトプット　キャリア棚卸シート　～自分のキャリアの強みと弱みを棚卸する

転職やSESの経験がある人は、職務経歴書やスキルシートを書いた経験があるだろう。一般的には、転職や案件獲得のために、自分が経験してきた良いところを中心に過去に従事した職務・職業上の地位、および当該職務の具体的内容や経験したスキルを時系列で記述する。そのため職務・プロジェクトなどのすべての経験や思いを掘り起こし、書き出すことはしない。しかしここで説明する「キャリア棚卸シート」は少し趣が違う。要は自分の「良いところ」も「見直すべきところ」も余すところなく書き出すのである。そして、そのなかから新たな自分の可能性を見つけ出していくのである。

そこで私は次の「キャリア棚卸シート」を提案したい。これを作成することで、いまの専門性とは異なる他の「強み」が見つかったという人もいる。逆に期間が長い職務でも、単純な作業の繰り返しなどで意外に職務経験としては薄いものがあるかもしれない。通常の職務経歴書やスキルシートだと、期間の長いものが経験豊富と見られがちだ。しかし、このキャリア棚卸シートの考え方では、各職務の期間の長短は重要ではない。それぞれの職務がこれまでのＩＴ屋としての生きざまや、人生に「いかにインパクト（影響）を与えたか」を重視する。

さらに重要なのは、自分のキャリアをさまざまなＩＴ屋の職種・専門領域から俯瞰的に見直すことで再評価することである。例えば、アプリケーション構築が専門のＩＴ屋であっても、プロジェクトマネージャとしてメンバーの進捗管理を長年

No	期間	所属会社名	プロジェクト内容	経験月数	密度	コンサル			セールス				PM				自身の強み	自身の弱み（改善点）
						業務コンサルタント	ITコンサルタント	ITアーキテクチャ設計	ソリューションセールス	チャネルセールス	インサイドセールス	セールスエンジニア	プロジェクトマネジメント	チームリーダー	PMO	PMサポート（秘書・サポートスタッフ）		
1	2021年10月〜現在	●●システム	ソフトウェア業ERP隊立ち上げ支援	16	濃い	2						6	12				ERP事業に新規参入するソフトウェア会社に対して、これまでの幅広い知見を活かして支援できた	DX化の流れのなかでERP事業を行うためには、DXでのアプローチでERP導入プロジェクトを推進できる力が必要と感じている
2	2021年1月〜2021年9月	●●システム	アミューズメント業人事パッケージ導入支援	21	濃い									9	3		カスタマイズ、アドオンができない製品で、ユーザー側に入り込んで徹底的に標準機能に合わせた業務設計ができた	ユーザーとベンダーの調整能力の不足を感じた
3	2020年1月〜2020年12月	●●システム	製造業ERP導入支援	12	普通	2	10										導入プロジェクトを円滑に進めることができた	ユーザーニーズとのギャップの解決策や提案に不足を感じた
4	2019年11月〜2019年12月	●●システム	パッケージ導入社内研修受講	2	薄い												パッケージ導入について基本的な考え方を学べた	カスタマイズ（アドオン）に頼らず、業務をシステムに合わせてもらう姿勢の必要性を感じた
5	2010年6月〜2019年10月	△△ソフトウェア	大手流通業販売管理システム	113	濃い									80			ユーザー経験を活かし、全工程で長期間活躍できた	エンドユーザーがERPを導入することで、現行要員の規模縮小。同一のアーキテクチャに固執しすぎた弱みを痛感した
6	2000年8月〜2010年5月	□□株式会社	自社販売管理システム開発・運用保守	117	普通												ユーザーとしてさまざまな業務に関与でき、ほとんどすべての業務を経験した	開発経験が薄く、システム全般を請け負い側から見る必要を痛感した
7	1995年4月〜2000年8月	XX情報サービス	製造業情報システム部派遣（運用要員）	65	薄い												未経験で入社。若さでなんとか職務を乗り切れた	派遣社員という立場上、あまり上流の仕事には関与できなかった
合計スコア						4	10	0	0	0	0	6	12	89	3	0		

キャリア棚卸シートの記入例

行っている。あるいはコンサルタントとしてシステム構築だけでなく、ユーザーの業務改善に関与した経験がある、といったように、これまで経験した1つ1つの職務を、多面的に再評価していくのである。こうすることによって、1つのキャリアのなかにある新たな自分の可能性（スキル）を見出すことができるのである。

◆第2のアウトプット　25の質問　～自分のこれまでを振り返り、これからを描く

キャリア棚卸シートでいままでのキャリアを詳細に棚卸すると同時に、そのキャリアが自分の人生にどのようなインパクトを与えたのかを検証していく。

具体的には、次に示す「25の質問」に回答していく。これは参加した起業セミナー（志師塾）で紹介されたものをベースに、私がＩＴ屋向けにカスタマイズしたものである。なお、本書での利用に関しては、志師塾の五十嵐和也塾長から許諾をいただいた。この25の質問は大きく4つのパートに分かれている。

● ＩＴ屋になる前……なぜＩＴ屋になったのか
● ＩＴ屋になった直後……ＩＴ業界に入る前後で印象に違いはあったか

●ＩＴ屋になってからこれまで　……ＩＴ屋としてどのような人生を歩んできたか
●ＩＴ屋を辞めたあと　……これから先、どういう人生を歩みたいか

この4つのパートからなる計25の質問に回答することによって、これまでの人生を俯瞰的に振り返り、これからどのような人生を送るのかをストーリー立てていくのである。

なぜこのようなパート分けにしたのかといえば、私自身のように学生時代は文系でコンピュータに関する基礎知識もないまま、ＩＴの将来性だけでＩＴ屋になった人もいるからである。そのなかで試行錯誤を繰り返しながら、現場を渡り歩き、現在に至るという人もいるだろう。また、生涯ＩＴ屋であることを望まない人もいるだろう。そのような人たちすべてに自身のＩＴ屋としての過去から現在を振り返り、そして未来を考えてもらうことがこの質問の目的である。つまり、ＩＴ屋になった理由や現在の状況、将来を問わず、「ＩＴ屋であるあなた自身の姿を思い描いていく」のである。

この25の質問に答えていくことで、自分のＩＴ屋としての人生が、過去から現在、

IT屋になる前の自分について質問します	
1	あなたがIT業界に入る前になりたかった職業はなんですか? またその理由はなんですか?
2	あなたがIT屋になる前に好きだったことはなんですか? またそれはIT屋になる前になりたかった職業やIT屋になった理由にどのような関係がありますか?
3	あなたはなぜIT業界に入ったのですか? それは自分がなりたかった職業、好きだったこととどのような関係がありますか?
4	小さいころに親からよく言われたことはなんですか?
5	小さなころに思い描いていた夢はなんですか?
IT屋になった直後の自分について質問します	
6	あなたはIT業界に入る前にコンピュータにどの程度の知識がありましたか?
7	業界に入った当初に希望した職種、専門分野はなんでしたか? またその理由はなんですか?
8	入社時に配属された部署での職務はなんでしたか? またそれは自分が希望していたものですか?
9	最初に配属部署を告げられた時、どういう感情を持ちましたか?
10	配属になり、初めて出社したときの印象はどのようなものでしたか?
IT屋としてのこれまでを振り返る質問をします	
11	あなたのIT屋人生のなかでいちばん印象に残っている職務・プロジェクトはなんですか? またそれはいまの自分にどのような影響を与えていますか?
12	これまでのIT屋人生で心から感謝した人・出来事はなんですか? それはいまのあなたにどういう影響を与えていますか?
13	これまでのIT屋人生で自信や誇りに持てた職務はなんですか? それはいまのあなたにどういう影響を与えていますか?
14	IT業界に入ったころに思い描いていたあなたのいまの年齢のイメージはどのようなものでしたか? それはその通りになっていますか?
15	IT業界でこうなりたいと思う人は誰ですか? またその理由はなんですか?
16	IT業界に入ってあなたが憎しみ、怒り、悲しみを感じたことはなんですか? それはなにが理由ですか?
17	IT屋人生のなかでいちばんの逆境はなんですか? それはいまのあなた自身にどのような影響を与えていますか? またどのようにその逆境から立ち直りましたか? またそこからなにを学びましたか?
18	IT屋としてあなたがいま心のなかで感じているコンプレックスはなんですか? その理由はなんですか?
19	IT業界での経験で、あなたが詳しい分野、アーキテクチャ、工程、製品はなんですか? そのバックボーンとなった職務・プロジェクトとそのときの自身の役割、貢献できた成果はなんですか?
20	これまで転職などでIT屋として職場、立場を変えたことはありますか? 変えた場合はそこからなにを学びましたか?
あなたのこれからに関する質問をします	
21	あなたはなぜいまIT業界にいるのですか?
22	IT業界以外ではどんなビジネスにチャレンジしたいですか? そのビジネスをしようと思うに至った原体験となる出来事はなんですか?
23	あなたがIT業界を辞めても、他の人に引き継がれたい思い・志はなんですか?
24	あなたがいま自覚している長所はなんですか? また短所はなんですか?
25	あなたは周囲からなんと言って褒められますか? また周囲からなんと言われて注意されますか?

自分自身を見つめ直す25の質問

そして未来へと一本の線でつながるはずである。そうすれば、いま現在の立ち位置と今後どのように行動していくかが明確になるのである。

法則2 「三方よしアプローチ」で自分のライフシフト戦略を立てる
～三方よしプランニングシート

自分自身の考え方やマインドが「ゼネラリスト志向」になったら、次は「三方よしアプローチ」に従って、ライフシフト戦略を自ら考える段階に入る。

◆第3のアウトプット　三方よしプランニングシート
～技術力・営業力・管理力を磨く方法を計画する

「法則2　三方よしアプローチ」では、自分自身の技術力を磨き上げ、それを他者に売り込む方法と、資金や人脈で技術力を守る方法について説明した。しかし、いくら考えてもそれを具体的なアクションにつなげないと成果を出すことは難しい。

そこで今後に実行する項目を決め、それを戦略として文書化するのである。

具体的には、次に示す「三方よしプランニングシート」を使って、それぞれの実行方法・手段を取りまとめていく。

- **技術力　自分自身がいま磨き上げていきたい技術**
- **営業力　自分の技術の優位性をアピールするための戦略**
- **管理力　自分の技術を磨き、補強するためのお金と人脈**

最初の段階では行うべき項目を整理し、頭のなかに「叩き込む」ことが目的のため、詳細な実行計画を記述する必要はない。むしろ、自分の頭のなかにある「三方よしアプローチ」の3つの要素を、きっちりと整理し、体系化することに集中したい。

おそらくこの段階では、技術力・営業力・管理力のそれぞれの要素で、思い浮かぶ度合いにばらつきがあるだろう。技術力と比べて営業力・管理力の記述内容が具体化されない(できない)ことが多い。しかし、技術力だけでなく、その優位性を打ち出していくための営業力と、守り・維持するための管理力のバランスがとれるように、日々意識していくことが重要なのである。

また、この三方よしプランニングシートは、プリントアウトして、自分が毎日確認できるようにしておくとよい。そして、目につくところに貼り出してもらいたい。単にファイルで管理しておくだけだと、当然見る頻度も下がる。私の場合は、自室のなか、ベッドから見える場所に貼り出して、毎日朝晩に自分の戦略を意識するようにしている。

　こうすることにより、日々自分の潜在意識のなかに、自分のライフプランを実現するための目標と戦略が刷り込まれていくのである。

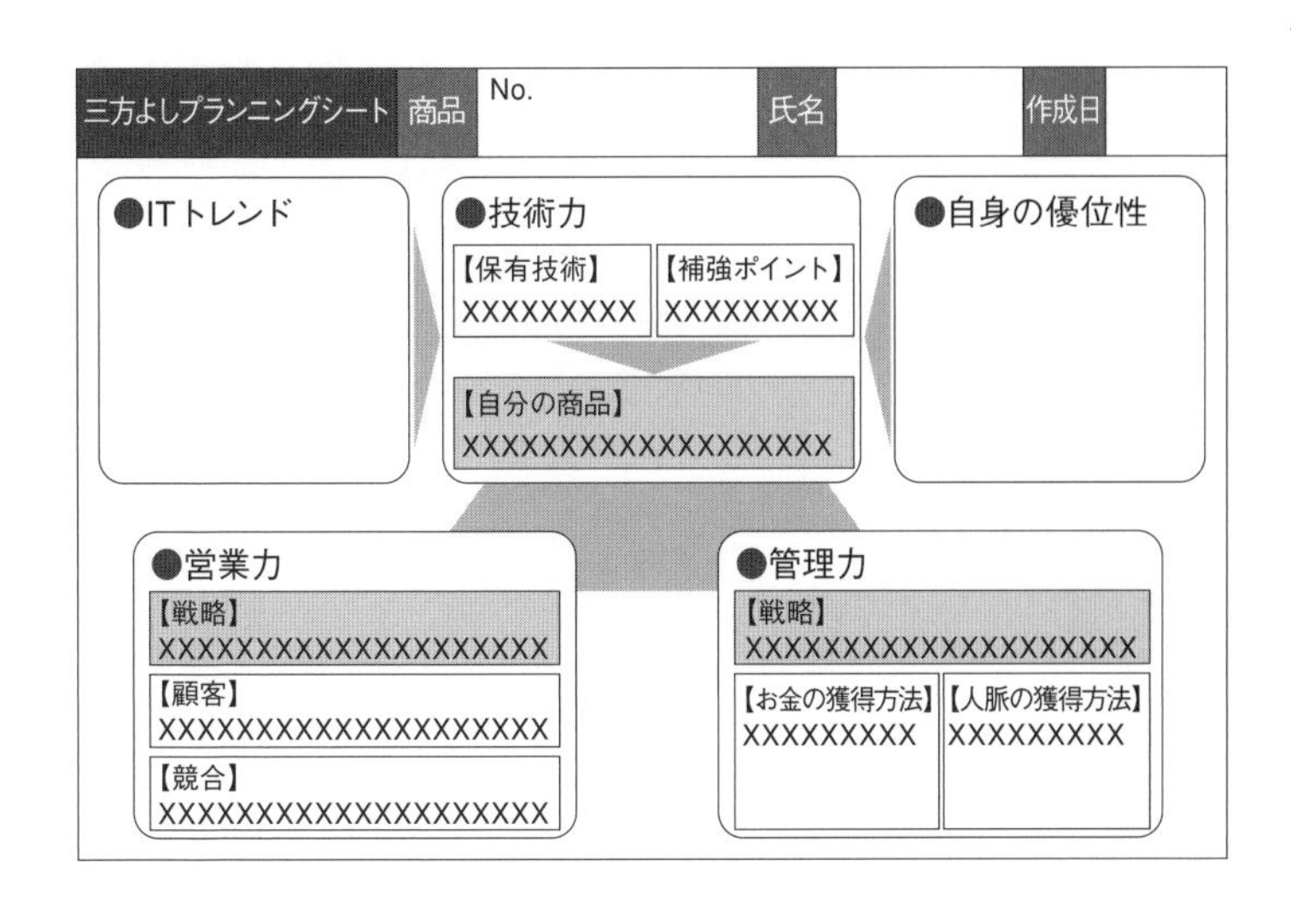

IT屋の「三方よしプランニングシート」

⚙法則3　中長期プランニングでライフシフト計画を立てる

～将来計画シートと年間計画シート

「法則3　中長期プランニング」では、前節の「三方よしプランニングシート」の内容を踏まえて、自分自身のライフシフトプランを具体的に立案する段階に入る。そこで使用するのが、次の2つのシートである。

◆第4のアウトプット　将来計画シート　～3年間の中長期計画を策定する

企業などが新たな戦略を実行するとき、3年程度のスパンによる中長期計画としての具体的な実行計画や、それに伴う売上目標、予算、人員計画などを策定する。これはなにも組織だけの話ではない。ライフシフトという長いビジョンや戦略を実行する個人や、本書のライフシフトを実行していく読者のみなさんにも同じことがいえる。早い話、あなたは自分自身という企業の経営者であると想定して、中長期計画である「将来計画シート」に取り組んでほしい。

まず、将来計画シートのインプットとなるのは、法則2で説明した「三方よしプランニングシート」である。

● 技術力 …… 商品戦略
● 営業力 …… 営業戦略
● 管理力 …… 財務・人脈戦略

三方よしプランニングシートで考えた戦略を、中長期計画として将来計画シートに落としていく。これにより、漠然と考えていたライフシフト戦略が具体性を帯びてくるのである。そして、将来計画シートの内容に従って、向こう3年間の自分自身の人生を「運営」していく。

さらにこの3カ年計画が終了する段階で、そこまでの実績を振り返り、あらためて三方よしプランニングシートを見直すのである。そのうえで次の中期計画として、次期の「将来計画シート」を作成していく。

◆第5のアウトプット　年間計画シート　～中長期計画を年間計画にブレイクダウンする

前節の将来計画シートは、企業などの中長期計画のスパンに合わせて3年単位で

将来計画シート（中長期計画）	氏名		作成日	
			改訂日	

目標設定

私は（　3　）年後である（　　　　）年、自分が（　　　　）歳までに、

な状態になっている

そのときの職業、勤務先（地位）

そのときの居住地

そのときの家族構成（年齢）

そのときの年収と収入源

目標達成のためのIT屋としての活動

■IT屋としての活動期間

そのときもIT屋として仕事をしている　・　年後（　　）歳には辞める

■そのときまでIT屋として活動する理由

■IT屋として目指す状態

・職　務

・地　位

・収　入

3カ年計画

3年後に目指すべき状態

	実施項目	1年目（　年）	2年目（　年）	3年目（　年）
技術力				
営業力				
管理力				

KPI（達成基準）

将来計画シート

作成した。しかし、これでは進捗状況を管理するには粒度が荒い。そこで次に、こちらも企業などの計画策定に合わせて、中長期計画である将来計画シートから1年単位にブレイクダウンした「年間計画シート」を作成していく。

このときに注意したいのが、必ず将来計画シートから作成することである。長い人生計画であるライフシフトプランを考えていく場合、一年単位の年間計画シートから先に作成してしまうと、中長期的な視点が欠落してしまう。そのため、必ず中期計画である将来計画シートを作成してから、年間計画シートに落とし込んでほしい。

ここまでくれば、ＩＴ屋が得意とするところだろう。三方よしプランニングシートに書き出した戦略ごとの行動計画を盛り込んだ将来計画シートにもとづいて、年間計画のタスクをブレイクダウンし、スケジュールを立てていくのである。そしてＷＢＳ（ワーク・ブレイクダウン・ストラクチャ：作業分解構成図）と同じように構造化して進捗管理していくのがいいだろう。1年の期間が終われば、それまでの実績を振り返り、必要に応じて将来計画シートを見直して、また次の1年の年間計画シートを策定するのである。

年間計画シート	氏名	作成日
		改訂日

1年で目指すべき状態（目標）

	実施項目	タスク		開始日	終了日	月	月	月	月	月	月	月	月	月	備考
技術力			予定												
			実績												
			予定												
			実績												
			予定												
			実績												
			予定												
			実績												
			予定												
			実績												
			予定												
			実績												
営業力			予定												
			実績												
			予定												
			実績												
			予定												
			実績												
			予定												
			実績												
			予定												
			実績												
			予定												
			実績												
管理力			予定												
			実績												
			予定												
			実績												
			予定												
			実績												
			予定												
			実績												
			予定												
			実績												
			予定												
			実績												

年間計画シート

ここまで、「3つの法則」にもとづいたライフシフトプランの進め方について概略を説明してきたが、漠然とイメージできただろうか。次章では実際にこれらのシートを作成していく作業に入っていく。

DXにも不可欠な「3つの法則」

いまITの世界ではDXが注目されているが、そのプロジェクトの進め方に戸惑うIT屋も少なくない。それは、いままでのウォーターフォール型の開発と大きくアプローチが違うことにほかならない。しかしここにも役立つのが、本章で説明した「3つの法則」なのである。

DXにこそ求められるゼネラリスト志向

そもそもDXの目的はITシステムを完成させることではない。デジタル技術を活用して会社や業務に新たな価値を創出することである。そのためには、従来のIT屋の職種の枠にとらわれない自由な発想が必要となってくる。

しかしこれまでのＩＴ屋は、どちらかといえば顧客の要求・要望に従ってシステムを構築すればよかった。ＤＸではそもそもユーザー自身が要求・要望事項を持ち合わせていないことが多い。プロジェクトをともにするさまざまな職種のメンバーと議論を交わし、プロトタイプを実装しながらプロジェクトを進めていくのである。そのためには俯瞰的に、多面的にものごとを見るゼネラリスト志向が必要となる。

DXプロジェクト参画に必要な三方よしアプローチ

ＤＸプロジェクトに参画する場合も、あくまでベースとなるのはそれぞれのＩＴ屋が有している技術である。一方で、ＤＸ導入にはこれまでのＩＴプロジェクトでは想定しえなかった新たなスキルが必要になってくることもある。当然、各ＩＴ屋が持ち合わせているスキルには強みも弱みもある。この点を三方よしアプローチを用いて、自らの強みをメンバーに売り込みつつ、弱みを他のメンバーとの協力関係や自己研鑽でカバーしていくのである。

アジャイル型開発だからこそ必要不可欠な中長期プランニング

ＤＸの特徴はアジャイル型開発で少しずつサービスを作り上げていくことである。そして運用しながら改善・機能拡張を繰り返し完成形に近づけていく。一見すると短期開発のようにも思えるが、複数年単位で完成形に近づけながらプロジェクトが進むことも想定される。そのため従来の開発計画の立て方ではなく、中長期的なＤＸ化の目標・計画から、短期の計画にブレイクダウンし、確実に実行できる姿勢が必要となる。つまり、短期的な計画だけではなく、複数年にわたるＤＸプロジェクトの担い手として中長期プランニングを実施した人材が不可欠になるのである。

CHAPTER

4

3カ月で実現する IT屋のライフシフトプラン

CHAPTER3では、IT屋として生き抜く「3つの法則」にもとづいた「5つのアウトプット」の概要について説明してきた。本章では、この5つのアウトプットを実際に作成するステップに入る。また、作成におけるアプローチ方法および作成例を紹介する。

標準的なライフシフトプランの構成

ではいよいよCHAPTER3で説明してきた「5つのアウトプット」の作成に入っていこう。私がシニアIT屋にライフシフトプランの策定をお手伝いするときには、「3つの法則」をそれぞれ1カ月ずつのステップに分け、5つのアウトプットの作成を行ってもらっている。

●Step1（1カ月目）　法則1　ゼネラリスト志向
・第1のアウトプット　「キャリア棚卸シート」の作成
・第2のアウトプット　「25の質問」の作成

●Step2（2カ月目）　法則2　三方よしアプローチ
・第3のアウトプット　「三方よしプランニング」の作成

●Step3（3カ月目）　法則3　中長期プランニング
・第4のアウトプット　「将来計画シート」の作成
・第5のアウトプット　「年間計画シート」の作成

期間	Step	法則	ねらい	アプローチ	アウトプット
1カ月目	Step1	法則1 ゼネラリスト志向	・さまざまな観点からこれまでの人生とキャリアを振り返り、ゼネラリスト志向にマインドチェンジする ・いままでの人生とキャリアをベースに将来的になりたい自分像を描く ・なりたい自分像を実現するためにIT屋としてどうありたいかを明確にする	・キャリア棚卸シートの記述 ・25の質問への回答 ・なりたい自分像、IT屋像の検討	キャリア棚卸シート 25の質問
2カ月目	Step2	法則2 三方よしアプローチ	・なりたい自分に向けてキャリア戦略を立てる ▶商品戦略：自分の商品はなにか ▶営業戦略：自分の商品を誰にどう優位性を示すか ▶管理戦略：商品を維持し売るためのお金と人脈の検討	【商品戦略】 ・キャリア棚卸シートから自分の商品を検討 ・なりたい自分像、IT屋像、SWOT分析の結果から自分の商品を決定 【営業戦略】 ・コミュニケーショントレーニング ・顧客・競合を決定 ・営業戦略の検討と決定 【管理戦略】 ・不足しているスキルと補強方法を特定 ・必要なお金の検討・必要な人脈の検討	三方よしプランニングシート
3カ月目	Step3	法則3 中長期プランニング	・なりたい自分に向けた将来計画を決定する ・3年間の中長期計画を策定する ・年間計画を策定する	・目標設定：シートの左半分に記入 ・中長期計画の策定 ・年間計画の策定	将来計画シート 年間計画シート

3カ月で実現するIT屋のライフシフトプラン

Step1（1カ月目）法則1　ゼネラリスト志向

ＩＴ屋の多くは特定の分野に専門性を持ったスペシャリストである。Ｓｔｅｐ１ではそのようなスペシャリストとしての先入観をいったん外し、これまでの人生と一人のＩＴ屋としての自身を振り返りつつ、自分の可能性をあらゆる角度からゼネラリスト志向で見るようにしてもらいたい。

キャリア棚卸シートと25の質問を完成させる

Ｓｔｅｐ１では、「キャリア棚卸シート」と「25の質問」の２つを３週間をめどに作成してもらうことから始める。

作成する順番はとくに指定はしないが、これまでに転職やＳＥＳ案件への応募の経験があり、職務経歴書やスキルシートが最新化されている人は、先にキャリア棚卸シートから手をつけたほうがスムーズに作成できるだろう。

一方、転職したことがない人や、ユーザー企業のＩＴ部門に勤務している人は、自分の職務やキャリアをじっくりと振り返ったことがない場合が多いかもしれない。

その際には、25の質問からやってみるのがいいだろう。

ここでは、転職やSESの経験がある読者を想定して、キャリア棚卸シートの作成から始めることにする。

第1のアウトプット「キャリア棚卸シート」の作成

キャリア棚卸シートの目的は、文字通り、これまでの自分のキャリアをすべて棚卸することにある。まずは、転職やSES案件応募で使用している職務経歴書やスキルシートの内容を書き込んでいく。

ここで注意してほしいのは、

- **短期間の職務経歴**
- **トラブルなどであまりいい思い出がない経歴**

などもすべて自分のキャリアの1つとして洗いざらい書き出すということである。

このとき、職務以外の経験を書いても構わない。例えば、社内研修の受講やカンファレンス参加などの経験も、経歴の1つとして書くようにしてほしい。

◆自分のキャリアを時系列に書く

キャリア棚卸シートで最初に行うことは、自分のキャリアを洗い出し、直近のものから時系列に、降順ですべて書いていくことである。この段階では、これまで自分が経験した職務の羅列で構わない。書き出す項目は、次の5つである。

❶期間……**その職務に従事した期間**
❷所属会社名……**そのとき在籍していた会社名**
❸プロジェクト内容……**従事した職務・プロジェクトの内容**
❹経験月数……**その職務に従事した月数**
❺密度……**現在の自分から見たその職務の密度(濃い・普通・薄い)**

一般的な職務経歴書やスキルシートとほぼ同じであるが、大きく異なる点は職務の「密度」である。このシートでは現時点の自分自身から見て、その職務がどの程度

No	期間	所属会社名	プロジェクト内容	経験月数	密度	コンサル 業務コンサルタント	コンサル ITコンサルタント	コンサル ITアーキテクチャ設計	セールス ソリューションセールス	セールス チャネルセールス	セールス インサイドセールス	セールス セールスエンジニア	PM プロジェクトマネジメント	PM チームリーダー	PM PMO	PM PMサポート（秘書・サポートスタッフ）	自身の強み	自身の弱み（改善点）
1	2021年10月～現在	●●システム	ソフトウェア業ERP隊立ち上げ支援	16	濃い	2						6	12				ERP事業に新規参入するソフトウェア会社に対して、これまでの幅広い知見を活かして支援できた	DX化の流れのなかでERP事業を行うためには、DXでのアプローチでERP導入プロジェクトを推進できる力が必要と感じている
2	2021年1月～2021年9月	●●システム	アミューズメント業人事パッケージ導入支援	21	濃い									9	3		カスタマイズ、アドオンができない製品で、ユーザー側に入り込んで徹底的に標準機能に合わせた業務設計ができた	ユーザーとベンダーの調整能力の不足を感じた
3	2020年1月～2020年12月	●●システム	製造業ERP導入支援	12	普通	2	10										導入プロジェクトを円滑に進めることができた	ユーザーニーズとのギャップの解決策や提案に不足を感じた
4	2019年11月～2019年12月	●●システム	パッケージ導入社内研修受講	2	薄い												パッケージ導入について基本的な考え方を学べた	カスタマイズ（アドオン）に頼らず、業務をシステムに合わせてもらう姿勢の必要性を感じた
5	2010年6月～2019年10月	△△ソフトウェア	大手流通業販売管理システム	113	濃い									80			ユーザー経験を活かし、全工程で長期間活躍できた	エンドユーザーがERPを導入することで、現行要員の規模縮小。同一のアーキテクチャに固執しすぎた弱みを痛感した
6	2000年8月～2010年5月	□□株式会社	自社販売管理システム開発・運用保守	117	普通												ユーザーとしてさまざまな業務に関与でき、ほとんどすべての業務を経験した	開発経験が薄く、システム全般を請け負い側から見る必要を痛感した
7	1995年4月～2000年8月	××情報サービス	製造業情報システム部派遣（運用要員）														未経験で入社。若さでなんとか職務を乗り切れた	派遣社員という立場上、あまり上流の仕事には関与できなかった
合計スコア						4	10	0	0	0	0	6	12	89	3	0		

①時系列で経験した職務を期間、所属会社、職務、月数、業務の密度の順に記載

②職種ごとの経験月数を記載
※重複して複数の職務を行った場合は重複しても構わない

③この職務で得た自分の「強み」を記載

④この職務で感じた自分の「弱み」（改善点）を記載

キャリア棚卸シート

の難易度に相当するのかを書き入れるのである。ＩＴ屋としての経歴が長いほど記入に時間がかかるが、ここでしっかりと自分に向き合い、すべての経歴を洗い出しておこう。

◆多面的に自分の専門分野を見つめる

次に、これまでの職務が自分自身にどのような経験をもたらしたのかを明らかにしていくとともに、おのおのの職務の経験月数を細分化する作業を行う。

ここで思い出してほしいのは、キャリア棚卸シートの目的はゼネラリスト志向にマインドシフトすることである。そのためここでは、１つの経歴を多面的に見ながら、経験月数を経験した職種ごとに細かく分けて記載していくのだ。つまり、１つの経歴をさまざまな職種に当てはめて、経験値を細分化し、再評価していくのである。

そこで、一般的なシニアＩＴ屋が経験しているであろう分野を細分化し、59種類の職種に分類してみた（ＩＴ屋の職種）。この表を見ながら、１つの経験値を職種ごとに細分化し、おのおのの経験月数を記入してほしい。

いわゆるプレイングマネージャーのように、管理と実作業を兼務したようなケー

IT屋の職種

分類	職種	定義
コンサル	業務コンサルタント	IT化プロジェクトにおいて業務的な観点から現状分析、改善策の検討・提言を行う
	ITコンサルタント	現行システム状況と課題、業務コンサルタントのアウトプットから最善のシステムを提言する
	アーキテクチャ設計	業務・IT双方で最適なシステムを実現するためのアーキテクチャ検討・設計を行う
セールス	ソリューションセールス	対話を通してお客様が抱えている問題やニーズをくみ取り、その問題の解決策を提供する営業
	チャネルセールス	代理店などへのチャネルに対し支援を行うことでその解決策を提供する営業
	インサイドセールス	見込み顧客に対して電話やメールなどを利用し非対面で行う営業
	セールスエンジニア	製品説明、デモなど技術的な側面から営業をサポートする職種
PM	プロジェクトマネージャ	プロジェクト全体の進行を管理し、予算や品質、納期、成果物のクオリティに対して全責任を持つ
	チームリーダー	プロジェクト全体の方針に従い、少人数のチームを率い目標達成を支援する
	PMO	プロジェクトマネージャを補佐し、予算や品質、納期、成果物のクオリティに対して責任を持つ
	PMサポート （秘書・サポートスタッフ）	プロジェクトマネージャのサポート役として、状況把握、課題点発生状況などを調査・報告しサポートする
アプリケーション	要件定義	システム開発などのプロジェクトを始める前の段階で必要な機能や要求をわかりやすくまとめていく作業
	基本設計	画面・出力、裏側の処理などの機能単位で、それぞれの機能がどのようなものか、なにをする機能なのか、機能同士の繋がりを設計する
	詳細設計	基本設計で定義された要素の仕様や動作の詳細を定義し、プログラムを作成できるレベルまで設計書に記述する
	プログラミング	基本設計書、詳細設計書に記載された内容に従いプログラムを実装し、単体での動作確認を行う
	テスト実施	システムやソフトウェア全体が仕様書通りにできているか、求められている機能や性能が満たされているかをテストし確認する

分類	職種	定義
アプリケーション	マニュアル作成	ユーザー教育用のシステム操作手順書、マニュアルなどを作成する
	インストラクション	マニュアルなどに従ってユーザー教育を実施する
	データ移行	現行システムからデータを新システムに移行する
	アプリケーション運用	アプリケーションシステムの運用状況を監視し、必要な改善策を講じる
	アプリケーション保守	アプリケーションシステムの不具合改善や機能改善を行う
パッケージ	パッケージFit＆GAP	導入企業の業務や仕組みとシステムの機能がどれだけ適合(Fit)し、どれだけズレ(Gap)があるかを分析し対応策を検討する
	パッケージ導入	導入企業の業務や仕組みに合わせて、パッケージ製品を設定する
	パッケージカスタマイズ・アドオン	導入企業の業務や仕組みに合わせて、パッケージ製品をカスタマイズ、追加開発する
	商品企画・マーケティング	世の中のニーズや他社動向を見据えて、自社の開発するパッケージシステムの商品企画を行う
	プロダクト設計・開発	商品企画にもとづき自社パッケージシステムの設計開発を行う
	カスタマーサクセス	導入済みの顧客の最終的なゴールや潜在的なニーズを能動的に掘り起こし、利用範囲の拡大など顧客成功体験の実現を支援する
	プロダクトサポート	顧客の問い合わせに対応して必要な技術調査を行い回答する。状況により開発部門に対して機能改善をリクエストする
インフラ	インフラ設計・構築	サーバーを設置、設定し、OS(オペレーティングシステム)などをインストールし、ストレージ(記憶装置)やネットワークを設定する
	データベース設計・構築	データベース製品を扱い、最適なデータベースの開発・設計を行う
	ネットワーク設計・構築	要件に応じて、ネットワークの構成や使用するネットワーク機器を決定し、実際に機器を設置、設定を行う
	インフラ運用	サーバー監視ツール、ネットワーク監視ツール、インシデント管理ツールなどのさまざまなツールを使用し、構築後のインフラの運用監視を行う
	インフラ保守	インフラの定期的にメンテナンスやシステムを拡張するなどの変更作業、トラブル発生時の原因追求・対処を行う

分類	職種	定義
セキュリティ	セキュリティ設計	企業のセキュリティポリシーや方針にもとづいて、社内のネットワーク、インフラ、アプリケーションに対するセキュリティ設計を行う
	セキュリティ対策構築	設計した内容をもとに、OS、ネットワーク、データベース、アプリケーションなどに必要なセキュリティ対策を実装する
	セキュリティ運用保守（CIRT）	インシデント発生時の「対応」に重点を置き、その原因を速やかに解析し、影響の範囲を明確化を行う
	セキュリティ運用保守（SOC）	組織内のファイアウォールやネットワーク機器、業務アプリケーションのログを取得し、攻撃の兆候を早期段階で見抜く
ユーザー	IT化企画	自社の経営戦略や事業戦略を理解したうえで、業績アップや業務プロセス改善、コスト削減などに最適なITシステムの導入を検討し提案する
	IT予算管理	自社のIT化戦略にもとづいた、予算編成と実行状況の管理を行う
	IT化プロジェクトリーダー	自社のIT化プロジェクトチームを率い、経営陣を含めた自社の意向をベンダーと適切に調整することでIT化プロジェクトをリードする
	IT化プロジェクトメンバー	自社のIT化プロジェクトチームの一員として、エンドユーザーなどの意向をベンダーと適切に調整することでIT化プロジェクトを推進する
	IT調達	自社のIT化企画の内容にもとづいて、機器・ベンダーなど必要なリソースを調達する
	ベンダーマネージメント	自社のIT化プロジェクトの内容に従って、各ベンダーのリソース状況、進捗状況、課題点を管理し、必要な社内調整やベンダーとの交渉を行う
	受入テスト	発注側の観点から、ベンダーが納品したシステムが発注側のニーズを満たしているかどうか、運用可能な状態にあるかどうかを検証する
	エンドユーザー教育	自社のエンドユーザー担当者にマニュアルなどを使用してシステムの操作方法を教育する
	エンドユーザーサポート	自社のエンドユーザーからの問い合わせに対して、必要な調査などを行い回答する

分類	職種	定義
Web	Webプロデューサー	クライアントへのプレゼン、プロジェクトの立案・計画をし、ディレクターに制作業務を指示する制作側の総合責任者
	Webディレクター	要望を形にするためのアイデアを出し、制作に必要な人材を選出してチームを組み、Web制作のプロジェクト進行を担う
	Webプランナー	主にクライアントの要望をサイトにどのように反映させるのかなどのサイト設計を立てる
	Webマーケター	Webサイトのアクセス解析をしてサイトの課題を見つけたり、SEOの施策や広告運用を行ったり、サイトをよりよく成長させるための戦略を立てる
	Webプログラマー(バックエンド)	データベースの整備やサーバー管理、ECシステムの構築などWebに必要不可欠な裏側部分を担当する
	Webコーダー(フロントエンド)	デザイナーが作ったサイトのデザインをHTML/CSS/JavaScriptなどを使って構築する
	Webデザイナー	サイトの操作や動線が分かるなどユーザビリティが高いWebサイトのデザインを行う
DX	プロデューサー(プログラムマネージャ)	DX推進に向けて全体像を示し、方針を掲げ、DXやデジタルビジネスの実現を主導するとともに必要なリソース配分を行う
	ビジネスデザイナー	プロデューサーの構想を具体化するためにDXやデジタルビジネスの企画・立案・推進などを行う
	アーキテクト	DXやデジタルビジネスに関するシステムを設計し、技術面でのデザインを担当する
	データサイエンティスト/AIエンジニア	DXに関するデータ解析を行う。AIアルゴリズムなど技術面でのデザインを担当する
	エンジニア/プログラマ	AIエンジニアなどが設計した内容をもとにデジタルシステムの実装やインフラ構築を行う
	UI/UXデザイナー	DXやデジタルビジネスに関するシステムのユーザー向けインタフェースのデザインを行う

スもあるだろう。このように、同時期に複数の職務を行った場合は、月数を重複して書いても構わない。要は、1つの経験値を1つの職種に決めつけることなく、幅広い視点から見ていくことがキャリア棚卸シートの目的である。

このように1つの経験値を細分化することによって、キャリアのばらつきが明確化できるはずである。

◆現段階での強みと弱み(改善点)を書く

キャリア棚卸シートを使って自分の経歴をゼネラリスト志向の観点から分類してみて、なにか気づいたことはないだろうか。さまざまな職務を経験し、あらゆる困難を乗り越えながら現在のキャリアを形成してきた「いまの自分」の強みと弱み(改善点)が見えてきたはずである。

ここで再度伝えておきたいのは、その強みと弱みは、職務を行った当時に感じたものではなく、その時点からこれまでの経験を踏まえ成長した現在の自分から見た、

●弱みが改善され強みとなった点

● **現在でもクリアできていない弱み（改善点）**

である。1つの経歴を俯瞰的（ゼネラリスト志向）に見つめ直し、職務を細分化したことで、自分でも予想外の新たな強みと弱みが明確になったのではないだろうか。

ここまでの作業で、「キャリア棚卸シート」はひとまず完成である。

第2のアウトプット「25の質問」の作成

次に行う25の質問は、これまでの人生と現在、そしてこれからに分けて質問が構成されている。

● **IT屋になる前 ……なぜIT屋になったのか　5質問**
● **IT屋になった直後 ……IT業界に入る前後で印象に違いはあったか　5質問**
● **IT屋になってからこれまで ……IT屋としてどのような人生を歩んできたか　10質問**
● **IT屋を辞めたあと ……これから先、どういう人生を歩みたいか　5質問**

これらの質問には、1質問あたり400文字以上で回答することをお願いしている。IT屋の多くはドキュメントなどを箇条書きで書く機会が多い。そのため、長文で文章を書くことが苦手という人が多いかもしれない。しかしここでは、自分自身の思いを余すところなく吐き出し、書き出すことが目的のため、箇条書きではなくあえて文章で書いてもらいたい。

また、25個もの質問に回答するのに充分な時間をなかなかとることができない人もいるだろう。実際に私も、最初に取り組んだときはそうであった。しかし、簡潔に書けば書くほど、人生の振り返りと未来のありたい姿は中途半端なものになり、以後のワーク内容も自然と薄いものにならざるを得なかった。そこで2回目以降は時間を気にせず、自分に問いかけながら徹底的に書き出すようにしたのである。

すると不思議なことに、これまでの人生やこれからの夢が明確になってきたのである。それに伴って、自分の夢が膨らんできたのである。この理由はよくわからないが、長く、たくさん書けば書くほど、それぞれの回答に対する「思い」が深くなっていったことは事実である。そしてその思いを文字にして書き出すことで、将来の夢や希望が具現化していったのである。

「25の質問」は仕事とプライベートの両面での経験と思いを余すところなく書くことを目的にしている。なによりも読者のみなさんに気づいてほしいことは次の3つである。

- **自分自身がそもそもＩＴ屋になった経緯**
- **ＩＴ屋としての自分自身の生きざま**
- **これから将来に向かっての自分自身のあり方**

25の質問すべてに回答するには多くの時間を要するが、今後のライフシフトを考えるうえで、決して手を抜いてはいけない作業である。読者のみなさんにはぜひ時間をかけて、根気強く、自分に向き合う時間を作っていただきたい。すべての質問に回答できたら、Ｓｔｅｐ１の最終段階へ進んでいく。

「キャリア棚卸シート」と「25の質問」を相互に比較する

第1のアウトプットである「キャリア棚卸シート」と、第2のアウトプットである

「25の質問」が作成できたら、次はその両者を比較検討しながらブラッシュアップしていく作業に入る。

◆25の質問を見直して、自分の人生に影響を与えた職務・キャリアを特定する

まずは、キャリア棚卸シートで記載したプロジェクトが、25の質問の11〜20番目（IT屋としてのこれまでを振り返る質問）の回答内容にどのような影響を与えたのかを考えてみる。そうすることによって、25の質問で回答した内容の根拠（どのプロジェクトが、どんな影響を自分に与えたのか）が明確に思い出されてくるだろう。

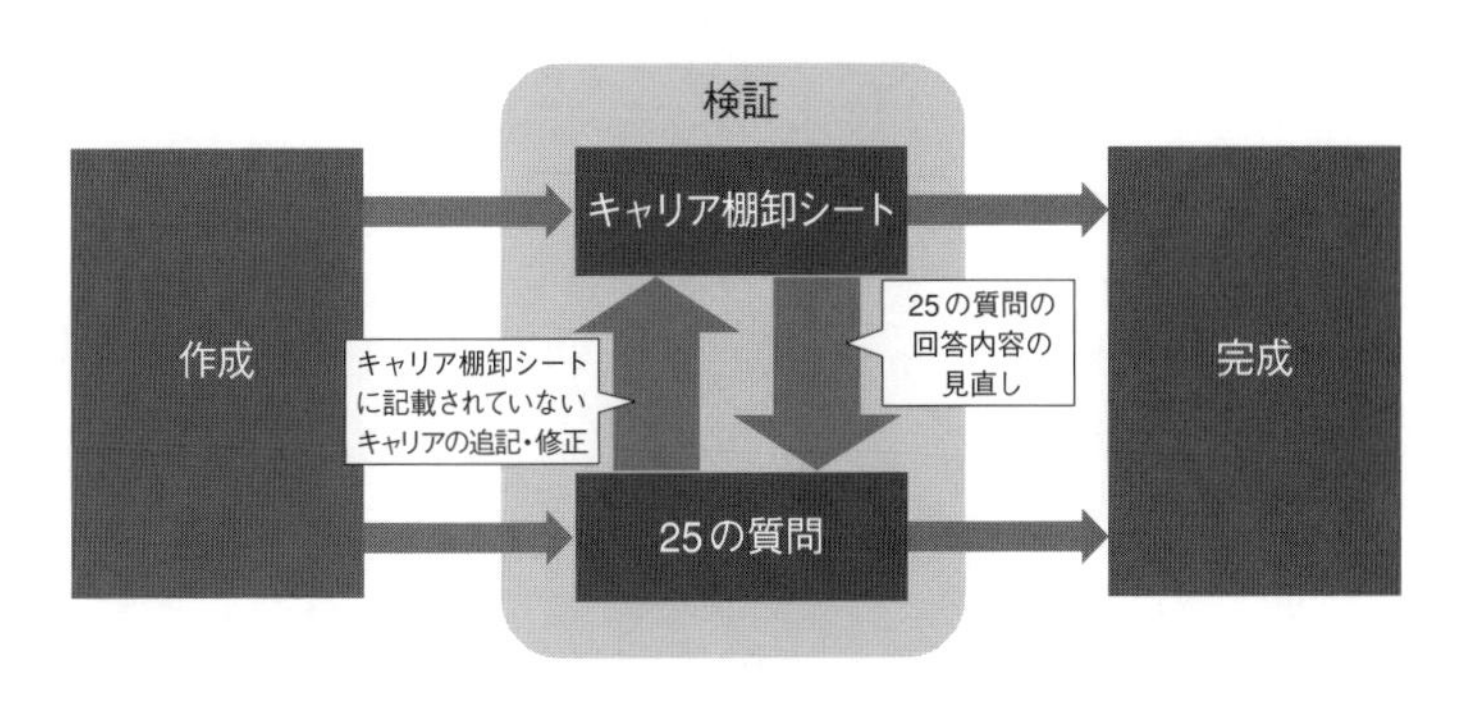

キャリア棚卸シートと25の質問の検証

◆25の質問に現れなかった職務についてキャリア棚卸シートを見直す

次は逆に25の質問で回答した内容からキャリア棚卸シートを見直してみる。すると、なかには25の質問の回答に現れていない（何らかの影響を受けていない）職務やプロジェクトがキャリア棚卸シートに記載されていることもあるだろう。しかしヘルプで一時的に参加したプロジェクトや、研修の受講など、直接的には25の質問の回答に関係がない（影響を受けていない）と思っていた職務やプロジェクトであっても、間接的にいまのキャリアを形成するために関係するものもあるはずである。それを含めてこれまでの職務・プロジェクトを再度見直し、キャリア棚卸シートに追記していく。

◆検証の結果を踏まえて、25の質問の回答を見直す

キャリア棚卸シートに追記をしながら25の質問の見直しをしていると、自分に影響を与えたプロジェクトや職務が鮮明にも思い出されることで回答した内容が不足していることに気づくこともあるだろう。そういうときには、25の質問の回答内容も同時に修正を行いブラッシュアップさせていく。

25の質問の回答を見直す必要があるということは、それだけ自分自身の考え方が幅広くなっているということを示している。つまり、ゼネラリスト志向に一歩近づいたということにもなるのである。

◆キャリア棚卸シートと25の質問は定期的に見直す

キャリア棚卸シートの作成と25の質問への回答は、一度だけ行えばいいというものではない。担当職務やキャリアが増えたとき、転職などで人生に重要な変化があったときは、これらを見直すタイミングでもある。しかしそのような転機となる大きなライフイベントのタイミングよりも、日々の細かい心の変化やそれに伴う将来像を考えることで、内容を見直す必要が生じることのほうが頻度は多いだろう。そのため、キャリア棚卸シートと25の質問は定期的に見直すことをおすすめしたい。ちなみに、私の場合は半年に1回程度この見直しを行っている。そして、そのときの心境・思いをベースに自分の人生を振り返り、将来の計画を見直すようにしている。

Step2（2カ月目）法則2　三方よしアプローチ

Step2では、実際にライフシフト戦略を策定していく作業に入っていく。ここでは「法則2　三方よしアプローチ」に従って、技術力・営業力・管理力の順に戦略の立て方について説明していく。

技術力　～自分自身がいま磨き上げたい技術を「商品」として考える

IT屋にとっては「技術力＝商品力」といっても過言ではない。いくら優れた技術を持っていても、IT業界の動向（トレンド）に合ったものでない限り、「売れる技術」であるとは言い難いのだ。

そこで、自分の技術を売れる商品にするための5つのステップを紹介する。

❶自分の「商品」となる技術はなにか定義する
❷商品となる技術の「強み」を洗い出す
❸商品となる技術の「弱み」を把握する

❹自分の商品(技術)のITトレンドに対する優位性を洗い出す
❺自分の商品(技術)がITトレンドに対して時代遅れになる要素を洗い出す

これらのステップは、自分の技術を商品として世の中(IT業界・エンドユーザー)に届けるための「商品企画」である。

ここからは各ステップについて説明する。

◆❶自分の「商品」となる技術はなにか定義する

Step1で完成させた「キャリア棚卸シート」のなかから、最低5つは自分の「商品」となる技術をピックアップする。そうすることで、後続のステップで、万が一自分の商品が「売れない」ものとなった場合にもバックアップが効くのである。

とはいえ、自分が持っている技術が即商品になるわけではない。商品にするためには、自分が持っている技術を他者と差別化できるように細分化しておく必要がある。

例えば、

- クラウド環境構築……オンプレミス環境からAWSへの環境移行と構築
- 業務システム開発……制度変更、内部統制対応のためのシステム構築

というように、具体的な内容であればあるほどいい。

◆❷商品となる技術の「強み」を洗い出す

キャリア棚卸シートに記述した「自身の強み」と、ピックアップした技術とを合わせて、自分の商品となる「技術の強み」を明確にする。ただしこのときに注意したいのは、これまでの職務・キャリアの1つの側面だけを見て「強み」と判断しないことだ。例えば、ある職務で大きな成功をしたとしよう。しかし、その成功の陰でいくつもの小さな失敗があるような場合、それらの失敗に目を背けがちである。しかし、商品となる技術として考えた場合、その積み重なった失敗が商品の重大な欠点になる場合がある。そのため、その点は次に行う技術の「弱み」にきちんと追記しておくべきである。

◆❸商品となる技術の「弱み」を洗い出す

どのような商品でも、強みもあれば弱みもある。しかしその弱みに蓋をしてしまえば、時として自分の不利益になることもある。

例えば、SESの案件などで、自分のスキルが買われて参画できたような場合を想定してみよう。もしこのとき、実際には顧客の要求が自分の弱い分野ばかりだったとしたらどうなるだろうか。このような場合には、仮に採用されても期待値が合わず短期でリリースの憂き目に遭う場合もあり得るだろう。

しかし事前に自分の技術の「弱み」を押さえておけば、スキルをバージョンアップして克服しておくこともできる。また、相手に自分の弱い部分を事前に正しく説明しておくことで、相手の期待値と合わないリスクを回避することができる。

◆❹自分の商品(技術)のITトレンドに対する「優位性」を洗い出す

自分の技術がたとえどれだけ他者より優れた「商品」であっても、世の中に売れるものでなければならない。また、IT業界のトレンドは変化のスピードが速く、「売れそうな」技術であれば、そこに参入してくる人も多くなる。そのため、自分の商品がＩＴトレンドと比べて優位性があるのかどうかを、常に把握しておかねばならない。そして、その優位性が保てるように技術を磨いていくのである。

プログラミング言語を例にすれば、いまの流行はＰｙｔｈｏｎである。当然、Ｐｙｔｈｏｎの経験があるＩＴ屋の市場価値は高い。Ｊａｖａしか経験のないＩＴ屋であれば、新たにＰｙｔｈｏｎのスキルを習得することで自分の市場価値を上げることができるのである。

◆❺自分の商品（技術）がＩＴトレンドに対して時代遅れになる要素を洗い出す

ＩＴ業界は最近までもてはやされた技術であっても、新しいトレンドが生まれ、それに対応できる人材が増えて飽和状態になれば、その価値は一気に下落する。また、ライフシフトのタイミングを見誤ることで、自分の持っている技術が「時代遅れ」となり、時として市場価値が低下することもある。新しい価値を追求すると同時に、自分が現在持っている商品価値についても、関心を払っていく必要があるのだ。

これを先ほどのプログラミング言語の例に当てはめてみると、Ｊａｖａ以前の主流はＣ言語やＣＯＢＯＬなどであった。しかし、Ｊａｖａが現れてＷｅｂアーキテクチャが主流になるとともに、それまで主流であったC言語やCOBOLは需要が減っていった、というのがトレンドから外れた要素になる。

◆自分の商品価値をSWOT（強み・弱み・機会・脅威）分析をしてみる

ここからは、自分の保有技術から設定した商品を強み・弱み・機会・脅威の4つに分けて、より具体的に自分の商品価値を分析していく。これをもとにSWOT分析を進めていくのである。

SWOT分析とは、経営・マーケティング戦略を策定する際に、現状や競合、将来性などを分析しやすいようにフレームワーク化したものである。自身の外部環境と内部環境から見たStrength（強み）、Weakness（弱み）、Opportunity（機会）、Threat（脅威）の4つの要素で要因分析するものである。

◆SWOT分析で、今後自分が注力すべき「商品」に優先順位付けをする

自分の持つそれぞれの「商品」の、強み・弱み・機会・脅威が明確になっても、すべての「商品」を自分一人の力だけで取り扱うのは難しい。

そこで、SWOT分析の結果にもとづいて「商品」を絞り込んでいくのだ。具体的には、図示したように、次の4つの軸で今後自分が注力する分野を選定していくのである。

❶強み×機会……今後注力することで成果が出やすいもの

❷強み×脅威……新しいスキルを身につけるか、ニッチ分野のITT屋を目指す

	プラス要因	マイナス要因
内部環境	強み（S） ・オンプレミスでのサーバー構築にXX年以上の経験がある ・リーダーとして後進を育成したことがある	弱み（W） ・クラウドでサーバー環境を構築した経験が少ない
外部環境	機会（O） ・クラウドとオンプレミスの統合案件のニーズがある ・サーバー構築の基本的な考え方を理解している若手が少ない	脅威（T） ・オンプレミスでの新規サーバー構築案件が減少している

SWOT分析の例

❸ **弱み×機会……スキルアップするか、手を出さない**
❹ **弱み×脅威……撤退し、他の分野に力を注ぐ**

ここで注意してもらいたいことがある。例えば、C言語でのコーディングが得意なIT屋がいるとしよう。その人の場合は、いくらDXでPythonエンジニアがもてはやされているからといって、Pythonエンジニアに鞍替えする必要はない。むしろこれまでのC言語の技術を活かして、組み込みやIoT分野に活路を見出すこ

該当領域	内容
強み・機会	・強みを発揮して機会を活かす（積極） ・これを軸に自分の技術（商品）を売り出す分野
強み・脅威	・強みを活かして脅威を避ける（差別化） ・積極的にスキルは磨かない分野
弱み・機会	・弱みを改善して機会に挑戦する（改善） ・積極的にスキルを磨く分野
弱み・脅威	・脅威の影響を最小限にとどめる（回避） ・他の領域に力を注ぐ分野

SWOT分析による自分の商品の見出し方

ともできる。そのため自分の機会・脅威となるITトレンドを選ぶ際は、単にいまの流行りだけを追求するのではなく、自分のこれまでの経歴やキャリアが活きるものを選ぶべきである。そのためには流行りのキーワードを追いかけるのではなく、自分にとって無理なく取り組める分野がなにかを絶えずアンテナを張っておく必要がある。

◆自分が最も注力する商品を選ぶ

ＳＷＯＴ分析の結果が出たら、今後自分が、「営業」し「管理」していく商品をこの段階で1つだけ選定する。しかし、1つの商品に特定することができないという場合もあるだろう。だが、複数の職務を同時にこなすことが難しいように、複数の商品に対する営業戦略や管理方針を決めることはハードルが高い。そのため、まずは「主力商品」として1つの商品（技術）に絞ってほしい。

◆主力商品を選ぶ基準はなにか？

ここで気になるのが、なにを基準に主力商品を選ぶのかという点だろう。その答えは単純で、それぞれの商品のSWOT分析の結果を見比べながら、自分が最も効果があると思った「商品」を選べばよいのである。前述したように自分の「商品」は複数あるはずである。ここからいちばんの流行りものであるITトレンドを選ぶ必要はない。自分の「強み」が発揮でき、いちばん活躍の場が期待できるものを選択すればよいのである。

これまで随所で触れてきたように、日本人は欧米人と比べて「会社中心」にキャリアを形成している。読者のみなさんは今後もそれを続けていくのだろうか。ここまで行ってきた「キャリア棚卸シート」「25の質問」、そして「SWOT分析」でこれからの自分を支える「商品」が見えてきたはずである。これらの結果をもとに、会社の意向に左右されず、自分自身で「主力商品」を判断してほしい。

営業力 ～自分の技術の優位性を打ち出す

ＩＴ屋のなかには、「自分は営業ではないので、売り込みなんかできない」という人もいるだろう。CHAPTER3でも述べたが、ここでいう営業力とは、営業職への転換を求めるものではない。営業するのは前節で決めた自分の「主力商品」であり、今後自分がＩＴ屋としてライフシフトしていくための武器になるものである。

◆あなたの商品である「技術」をどう売るか

私がシステムエンジニアやプログラマなどのＩＴ屋と接してきて思うことがある。それは「ＩＴ屋は普段からエンドユーザーと接しているいわばプロのサービス業であるが、商品として自分の技術を売るという視点が足りない」ということである。確かに、会社から与えられた職務のなかで、自分自身の技術スキルは磨きながら経験を積めている。そのため、自分の技術を売り込むことにあまり関心を払わなくてもよかったのかもしれない。しかし、いまやＩＴ業界でもジョブ型雇用が進んでおり、自分の経験やスキルが会社が求める職能とマッチしない限り、地位や報酬を上げることは難しい。

だが会社や上司が、部下の社員一人一人の能力を本当に把握したうえで適正な評価を行っているのかは疑問である。そういう意味でもいま在籍している会社や上司、周囲に自らの経験やスキルを「売り込む」姿勢が必要である。黙っていても上司や周囲が手を差し伸べてくれるわけではない。そうしているうちに、自分の実力とは関係ないところで、自分の価値が「暴落」することもある。

例えば、

- **有能な若手が入社してくる**
- **鳴り物入りの中途採用者が入る**

などで、それまで「花形」であった社員が一気に「負け犬」となるようなこともある。年齢や周囲からの印象だけで、自分の評価がマイナスにとらえられてしまうこともある。そして予想しない部署への異動や降格、最悪リストラの憂き目に遭うようなことも考えられる。

しかし、自分自身の技術を相手に正しく伝え、その価値をアピールできたらどうだろうか。その

IT屋に求められる営業力

効果は、上司に自分の存在をアピールすることだけではない。周囲にその評判が知れ渡ると、他部門から異動のオファーがあるかもしれない。そして、その影響は社内にとどまらないこともある。これは私自身の経験だが、周囲の評判を聞きつけて実際にヘッドハンターから声がかかることもあった。

これまで、日本人は自分をアピールすることが美徳とされてこなかった。しかし、自分でキャリアを切り拓いていくためには、「自分を売込む力」も不可欠なのである。

◆コミュニケーションで「売り先」の悩み（ニーズ）を知る

「営業力を身につける」といっても、相手の立場を考えずに、一方的に自分の商品を売り込むことはむしろ逆効果である。まずは、相手の「悩み（ニーズ）」を正しく把握することが第一歩となる。そこから自分の商品を売り込むタイミングや方法を見出すのだ。そのために必要不可欠なのがコミュニケーションである。

世の中にはコミュニケーションに関する書籍がたくさん出版されているが、重要なのは、相手が発した言葉から相手の考えを知ることである。ミーティング時の発言や普段の会話での端々、メールの文面など、そのヒントは随所に隠されている。

それを見つけ出しながら、相手の悩み(ニーズ)を聞き出し、把握していくのである。ただし、このタイミングで焦って自分の考えや意見をいうことはかえってマイナスに働くこともあるので注意したい。なぜならこの段階では、あなたがなんらかのアピールをしようと思っていることすら予想していないため、突然のことに困惑させてしまう可能性が高い。ここは、あくまでコミュニケーションを図るトレーニングととらえるべきである。

◆相手との心のギャップを埋める

相手の心をつかんでも、果たして相手が欲しい技術(商品)を自分が提供できるかどうかはわからない。しかし自分の技術を売りたい

自分を売り込むためのコミュニケーション

相手の悩み＝ニーズをわかっていれば、自分がどれだけ相手の悩みを解決できるかをアピールできる。そうすることで自分の技術が採用されるチャンスがめぐってくることもある。

例えば、上司が「最近若手社員の離職率が高い」と悩んでいたとしよう。その理由として考えられることを上司とディスカッションしてみるのもいい。そのような接触を増やすことによって少しずつ距離を縮めていくのである。ただしこれを頻繁にやりすぎると相手に疎ましく思われる可能性もあるのでかえって逆効果だ。あくまで自然にコミュニケーションをとっていくべきである。

◆自分の真の「顧客」は誰かをつきとめる

前節ではコミュニケーションで「売り込み先」の悩み（ニーズ）を知る重要性について説明した。しかし、これだけでは実際の営業にはつながらない。ライフシフトプランとして自身の営業戦略を考える場合、「自分の商品（技術）を買ってくれるお客さんは誰か」を知ることが重要だ。

会社員などの場合、簡単に「自分の顧客」を見つけ出すことは難しい。ＩＴ屋の場合は、「誰をお客さんと仮定すればいいのか」と聞かれることがある。「そのときの職務上で関係する人であれば誰でも構わない」と私は答えている。エンドユーザーやSIerなど客先の担当者、担当営業、上司でよいのだ。要は自分を売り込んで、メリットがある人を選べばよいのである。

そこで、まずは周囲にいる人から将来的に「自分の価値を認めてほしい人」を定めてシミュレーションしてみることをおすすめする。しかし、これはシミュレーションの世界であり、あくまで仮定であることを忘れてはいけない。

そこで考えるべきことは次の2つである。

- **顧客がなにを求めているか**
- **顧客に対して自分はなにをしてあげればいいか**

これらを常に考えることで、自然と顧客のニーズを考えるよう習慣化できるようになる。

◆自分の競合（ライバル）となるのは誰？

次に考えるべきなのは「競合（ライバル）」の存在である。実際の営業活動ではライバルと競合することは当たり前にある。ここでも、無理に実在しない人物を設定しなくてよい。例えば、

- **会社の同僚**
- **いまのプロジェクトをともにしているIT屋**
- **これまでの仕事上で出会った同じスキルセットを持つIT屋**

など、自分と同じようなスキルセットを持っている人を「競合」として定義する。こうすることによって、自分の商品（技術）がライバルの商品（技術）とどう異なるのかが明確になり、差別化をはかれるのである。

◆自分の顧客に対してライバルと戦う姿をシミュレーションする

顧客と競合相手を定義できたら、次は自身の営業戦略を明確化するステップに入

る。具体的には、顧客に対して競合と戦いながら営業する自分自身の姿をシミュレーションするのである。そしてその「戦いの場」で、自分と他者との技術を比較したうえで、自分を「選ばせる」ためにはどうするのかを徹底的に考えてみるのだ。そうすることによって、顧客に対する自分の「アピール方法」が浮き彫りになる。

実際に、このようなアプローチを行うＩＴ屋はごく少数であろう。しかし会社にとらわれることなく、自分のライフシフト戦略を実行するためには、自分の「売り込み方」を考えていくアプローチが重要である。

管理力 ～技術（商品）を守るお金と人脈

ここまで、ＩＴ屋の価値の基本は「技術力」に他ならないことを述べてきた。そしてその技術力を未来にわたって売るための「営業力」の必要性についても説明した。しかしいくら技術を持っていて売る力があっても、それらを継続的に維持していけなければ意味がない。技術を維持、管理する力を味方につければ、あらゆる状況の変化に対する守りができる。ここではそのために必要な管理力のつけかたを説明する。

◆まずは同業種交流から　～人脈を役立つものに変える

そもそもＩＴ屋に求められる「人脈力」とはなんだろうか。人脈を築くために異業種交流会などに参加している人もいる。しかし、ＩＴ屋の場合はすぐにそれを行う必要はない。なぜなら、私自身の経験だが、このような異業種交流会に参加しても、ＩＴ屋は自分の仕事内容を伝えることが難しいからである。他業界との違いや目に見えないＩＴ技術価値を相手に伝えることは至難の業だ。残念なことに、世間のＩＴ屋への理解は、せいぜいシステムエンジニア、プログラマ程度で、ともすれば「パソコンに詳しい人」程度で終わってしまう。いくら世の中が情報化社会、デジタル社会とはいっても、一般的なＩＴ屋への理解はこの程度である。

そのため、あえてそこに労力を使う必要はない。むしろＩＴ屋の場合は、異業種交流より先に自分の仕事内容を理解してくれる「同業種交流」からスタートすることをおすすめする。

例えば、プロジェクトをともにした仲間とのコミュニケーションを維持するのもいいだろう。このような仲間は、一定期間ひとつのチームとして目的達成を目指した「同じ釜のメシを食った」仲間だといえる。こういった人間関係を掛け合わせれば、自分自身を起点にした人脈は無限大に広がり、今後も活用できる可能性が高まってくる。この同業種交流を成功させる秘訣は、所属している会社や立場を越えて、プロジェクト内のさまざまなメンバーに自分の存在をアピールすることである。

実はこれはそれほど難しい話ではない。日々の職務をきっちりとこなしつつ、プロジェクトのなかで、自身の存在価値を出していけばよいのである。そのような当たり前のことを繰り返すことで、徐々に人脈の幅も広がりをみせてくる。

またこのような同業種交流には、フェイスブックやツイッターなどのSNSの活用も有効だ。私がフェイスブックを使い始めたのは、ある会社の退職時にそれまで作り上げた人脈を維持するためであった。IT屋は転職が多い業種である。そのような業界であるが故、挨拶状、年賀状などだけでは限界があった。私は現在、SNSを使って、1000人以上の人と日々交流している。SNS内のさまざまなグループに参加して新しい情報や知見を得ることもある。いま思えば私自身こうした縁で、知識や技術に幅を持たせることができたのである。SNSには賛否両論あるが、IT屋のメリットを最大限に活かす手段の1つとして、SNS活用をおすすめしたい。

◆自分を磨くお金　～会社の経費に頼らない

会社員であれば、自己啓発の名のもとにさまざまな書籍を会社で購入できることもあるだろう。さらにイベントや展示会、セミナーなどにも、上司の承認が得られれば会社の経費で出席できることもある。いわば業務時間中に給料をもらいながら、自分を磨くことができるのである。

しかし、それらをいつまでも会社に依存するのはいかがなものだろうか。ましてや、会社が認めてくれる範囲内でしかＩＴ屋としての自分自身を磨けないというのは論外だ。

先述したように、海外のＩＴ屋はほとんどの場合、新しい技術を得るための費用は自己負担していることが多い。新卒の場合でもインターンなどで自身の価値を高めてから入社し、その後もいわば自分の腕一本で技術を磨きあげながらキャリアを歩んでいく。つまり自分で選んだキャリアのもとにＩＴ屋としての人生を進んでいくわけだから日本とは状況が異なる。しかし日本でも、自分自身の人生は自分で守るぐらいでないと、人生を渡り歩いていくことができない状況にあるのが現実だ。

私も会社員時代は自分の仕事上にプラスになると考えて、さまざまな書籍を購入したし、通信教育なども多数受講した。しかし、いま冷静に過去の自分を振り返ってみるとそれは、「目先の仕事」や「自身のいまの評価」に固執した自己研鑽だったように思う。そしてかなり散財してしまった。

この理由はおそらく、自分自身に「将来どうありたいか」という軸が根本的に足りなかったからである。この反省を踏まえて、今後のライフプランに対してお金をどう使うのかという自分に投資する力をつけてもらいたい。そのうえでライフシフトを実現するための原資＝資金をどう調達するかを考えるのである。

◆管理力を磨けば変化も怖くない

ここまでで気がついた方もいるだろうが、ここでいう「自分に投資する力」とは、ＩＴ屋としての自分自身の事業計画を立て、それに必要なリソースを確保するという意味である。新しい知識や技術の習得には正直お金がかかる。そして、それらがＩＴトレンドからずれてしまえば、無駄金に終わってしまいかねない。しかしＩＴ屋として自分の商品（技術）をどう伸ばしていくかを計画して、それに投資するお金を味方につけたとしたら、会社員を脱してＩＴフリーランスとしてやっていくこともできる。そして、このように技術力と営業力を管理する力を磨いていくことで、自らの環境の変化に左右されることなく、自分の人生設計や目標に向かって進むことができるのである。

第3のアウトプット　三方よしプランニングシートの作成

これまで本節では三方よしのアプローチである、次の3つについて時間をかけて検討してきた。

- **技術力……　自分自身がいま磨き上げたい技術を「商品」として考える**
- **営業力……　自分の技術の優位性を打ち出す**
- **管理力……　技術(商品)を守るお金と人脈**

今後実行すべきそれぞれの項目が決まったら、Step2の最後のアウトプットとして、これらを「三方よしプランニングシート」に記述していく。

この工程は、いままで頭のなかで考えていたことを実際に言葉にして書き出していくためかなり時間がかかる作業になる。しかしこれは、自身のライフシフトを考えるうえで最も重要な工程である。この三方よしプランニングシートは、自分自身のライフシフトに向けての戦略である。つまりきちんと明文化し、自分の頭のなかにインプットしておくことが重要なのである。三方よしプランニングシートには、ここまでで考えてきた技術力（ITトレンド、自身の優位性にもとづいた「商品」戦略）、営業力（顧客・競合を踏まえたアピール戦略）、管理力（人脈、自己投資を活かすための戦略）をシートにまとめていくのである。

次節以降、これらを具体的な計画に移し、実行していく。そのためには、ここで検討した戦略に「ぶれ」があってはならない。つまり、戦略をきちんと頭に入れておく必要がある。そして、毎日この内容を意識するように心がけたい。そうすることによって、自然と自分のライフシフト戦略を踏まえた行動ができるようになるのである。

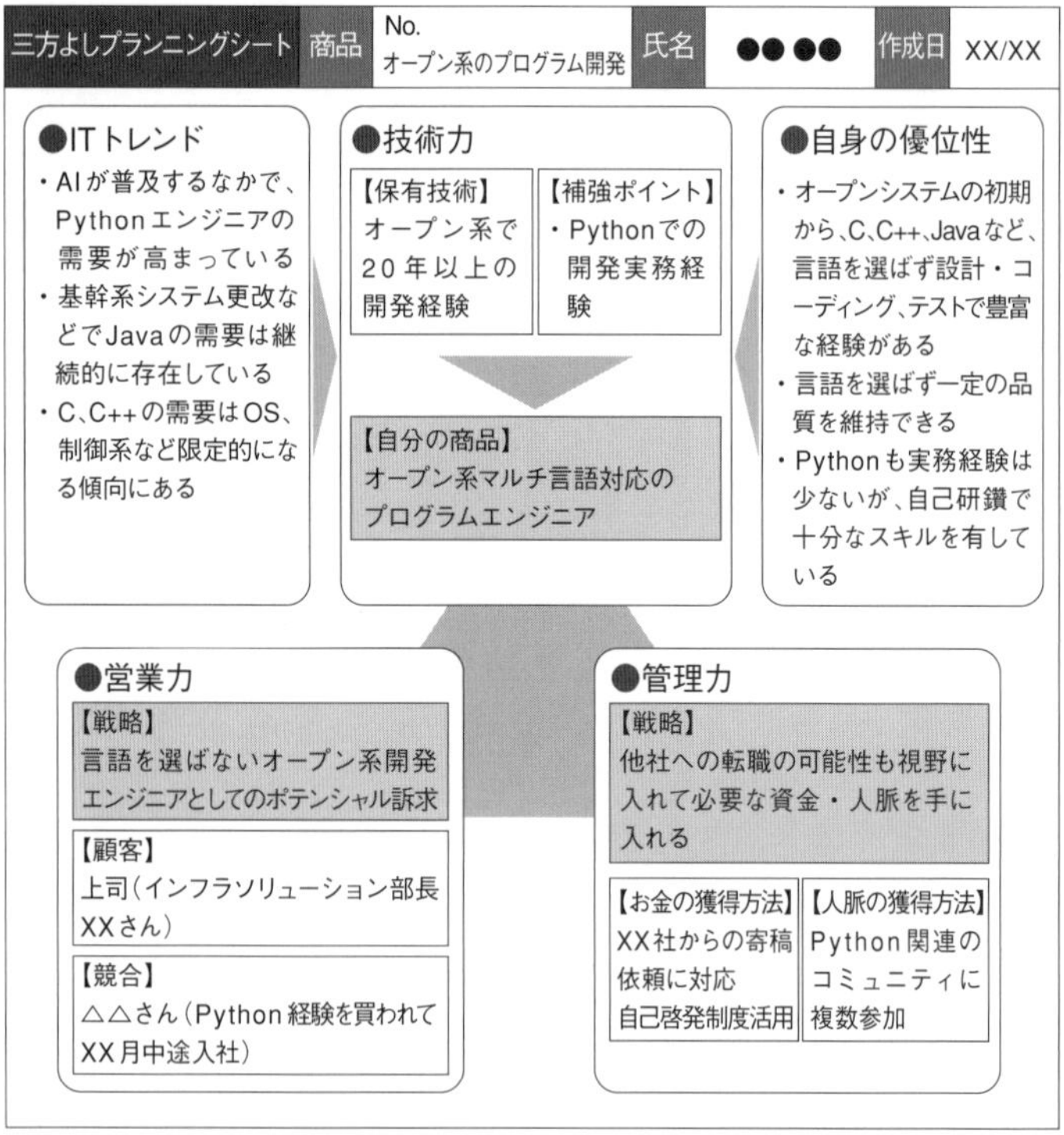

三方よしプランニングシート	商品	No. オープン系のプログラム開発	氏名	●●●●	作成日	XX/XX

●ITトレンド
・AIが普及するなかで、Pythonエンジニアの需要が高まっている
・基幹系システム更改などでJavaの需要は継続的に存在している
・C、C++の需要はOS、制御系など限定的になる傾向にある

●技術力
【保有技術】
オープン系で20年以上の開発経験
【補強ポイント】
・Pythonでの開発実務経験
【自分の商品】
オープン系マルチ言語対応のプログラムエンジニア

●自身の優位性
・オープンシステムの初期から、C、C++、Javaなど、言語を選ばず設計・コーディング、テストで豊富な経験がある
・言語を選ばず一定の品質を維持できる
・Pythonも実務経験は少ないが、自己研鑽で十分なスキルを有している

●営業力
【戦略】
言語を選ばないオープン系開発エンジニアとしてのポテンシャル訴求
【顧客】
上司（インフラソリューション部長XXさん）
【競合】
△△さん（Python経験を買われてXX月中途入社）

●管理力
【戦略】
他社への転職の可能性も視野に入れて必要な資金・人脈を手に入れる
【お金の獲得方法】
XX社からの寄稿依頼に対応
自己啓発制度活用
【人脈の獲得方法】
Python関連のコミュニティに複数参加

三方よしプランニングシートの記載例

Step3（3カ月目）法則3　中長期プランニング

Ｓｔｅｐ1の「ゼネラリスト志向」、Ｓｔｅｐ2の「三方よしアプローチ」でシニアＩＴ屋へのこれからのライフシフト術について解説し、「キャリア棚卸シート」「25の質問」「三方よしプランニングシート」の3つのアウトプットを行ってきた。いよいよ最後となるＳｔｅｐ3では、ライフシフトプランを実行可能にする計画の策定方法について説明する。

2種類の計画シート　～将来計画シートと年間計画シート

企業が事業計画を策定するときには、3～5年のスパンで中長期計画を策定し、戦略を実現するための具体的な目標を定める。そのうえで、各年度単位の年間計画に落とし込んでいく。ライフシフトプランでも同様に、後ほど説明する「将来計画シート」を使って中長期計画を策定してから、年間の計画にブレイクダウンする。

しかし、あまりに長期間でＷＢＳのような緻密な計画を立ててしまうと、途中で息切れをおこしてしまいがちである。そこで中長期計画である「将来計画シート」には、年間レベルでなにをすべきかを明示することとし、具体的な計画は年度計画である「年間計画シート」を使って作成する。

第4のアウトプット　将来計画シート（中長期計画）の作成

前述したように、IT屋は1年程度の短期計画の立案・実行は比較的得意である。しかし、第3のアウトプットで作成した「三方よしプランニングシート」によるライフシフト戦略は、到底1年で完結できるものではない。

そこで自分の戦略を実行するために、中長期計画である「将来計画シート」から作成していく。中長期計画の期間は、3年や5年など、とくに明確なルールはない。本書で紹介する将来計画シートは、ライフシフト戦略を無理なく実施するために、3年で計画を作成することにする。

◆これから先の目標を設定する

3カ年計画を立てる前に、まずはこれから先の人生目標を明確に定めておくために、将来計画シートの左半分に、3年後の人生目標を記入してみよう。

具体的には、何年後かの自分自身を想定して、次の6項目を埋めていくのである。

❶ 3年後、何歳のときに自分はどうなっていたいか
❷ そのときの職業、勤務先(地位)
❸ そのときの居住地
❹ そのときの家族構成(家族の年齢)
❺ そのときの年収と収入源
❻ この目標を達成するためにIT屋としていつまでにどうしたいか

これらについて、自分の「思い」を記入していくのである。なお、この

将来計画シート（中長期計画）　氏名　作成日　改訂日
目標設定
私は、(　　)年後である(　　)年、自分が(　　)歳までに、
な状態になっている。
そのときの職業、勤務先(地位)
そのときの居住地
そのときの家族構成(年齢)
そのときの年収と収入源
目標達成のためのIT屋としての活動
■IT屋としての活動期間
その時もIT屋として仕事をしている　・　年後(　)歳には辞める
■その時までIT屋として活動する理由
■IT屋として目指す状態
・職務
・地位
・収入

3ヶ年計画
3年後に目指すべき状態

	実施項目	1年目 (　年)	2年目 (　年)	3年目 (　年)
技術力				
営業力				
管理力				

KPI(達成基準)

年間計画シート　氏名　作成日　改訂日

将来計画シートと年間計画シート

ときに書く目標設定は、必ずしもＩＴ屋に限定する必要はない。これまでも触れているように、ＩＴ屋であるいまの自分自身をステップに、この先別の職業に就いても構わないのである。

ここでは、将来計画シートの作成に3年間を設定しているが、人生目標の記入は、3年より先であっても構わない。ここで定めた人生目標を達成するために、ＩＴ屋としてどう行動していくのかを将来計画シートで計画していくのである。

◆三方よしプランニングシートをもとに3カ年計画を策定する

人生目標の設定が記入できたら、具体的な3カ年計画を立てる段階に入る。まず行ってほしいのは、目標設定した内容を実現するために3年後の自分がどのような状態になっているのかを明確にすることである。

この実施項目に記入していくのが、第3のアウトプットで作成した「三方よしプランニングシート」の各戦略である。つまり、三方よしアプローチである技術力・営業力・管理力の戦略ごとに、向こう3年間で実施する項目を記入していく。そしてその実施項目ごとに、1年目、2年目、3年目にそれぞれでどういう状態になってい

将来計画シート(中長期計画)	氏名	●● ●●	作成日	XX/XX
			改訂日	

目標設定

私は、(3)年後である(2026)年、自分が(48)歳までに、

ITフリーランスのエンジニアとしての活動を軌道に乗せ、年商ベースで1200万円以上を稼ぐ

状態になっている

そのときの職業、勤務先(地位)

ITフリーランス(東京都内を中心に全国の案件で活躍)

そのときの居住地

東京都内

そのときの家族構成(年齢)

妻(46歳)　パート勤務
長男(17歳)　高校2年生

そのときの年収と収入源

・フリーランスとしての収入　年収800万円(諸経費400万差引済)　→　現在より200万円アップ
・副業(IT関係の記事のライティング)　年収65万円
・妻のパート収入　年収120万円

目標達成のためのIT屋として活動

■IT屋としての活動期間　(　そのときもIT屋として仕事をしている　・　8年後(　52歳　)には辞める　)
■そのときまでIT屋として活動する理由
・長男が大学卒業まではいまの地位、収入を維持する必要がある。長男の大学卒業後は実家のある山梨県に拠点を移し農業を始めたい。農業が軌道に乗るまではITフリーランスの仕事をリモートベースで継続する
■IT屋として目指す状態
・職　務
ITフリーランス
・地　位
個人事業主(法人化は検討)
・収　入
約900万円

将来計画シート(人生目標)の記載／左半分

るのかを、今度は将来計画シートの右半分に詳細に書いていく。

そして最後に、この3カ年計画がなにをもって達成できたとするのかを明確にするために、目標達成基準（ＫＰＩ）を明記する。これにより、立てた目標の達成状況を常に把握しながら行動することができるのである。

第5のアウトプット　年間計画シート

ＩＴ屋は普段、おおむね1年間程度のプロジェクトスケジュールをベースに動くことが多い。そのため1年以上の計画だと途中で変更が入り、スケジュールの見直しとなるケースも多いのではないだろうか。

しかし、1年以内のスケジュールだと大幅な仕様変更や納期の遅れなどがない限り、スケジュール通りにプロジェクトが進むことが多いだろう。また、これをベースにＷＢＳが作成され、プロジェクトに従事するメンバー全員のスケジュールと進捗が管理されることになる。

3カ年計画				
3年後に目指すべき状態 ・ITフリーランスとして独立し安定した収入基盤を得る				
	実施項目	1年目(2023 年)	2年目(2024 年)	3年目(2025 年)
技術力	対応できる開発言語の幅を広げる(Pythonの習得)	書籍・インターネットで知識習得	実際のプロジェクトに入り経験を積む	フリーランスとして独立。プロジェクト経験を広げる
営業力	フリーランスになることを考えて営業能力を高める	上司をターゲットに自分の技術を売りこんでみる	フリーランス案件に応募し採用される	フリーランスとして安定的に案件を獲得する
管理力	知識を獲得するための資金の確保	会社の自己啓発制度を利用する	会社の自己啓発制度を利用する	副業収入で知識を得る原資を稼ぐ
	副業で資金を蓄える	XX社からの寄稿依頼を副業で受託する	IT関係のライティングを副業で始める	IT関係のライティングで月5万円程度は収入を得る
	人脈の確保	クラウド関係のコミュニティに定期的に参加する	フリーランスのエージェントとコネクションをつくる	人的なネットワークを使い案件を確保できるようにする
KPI(達成基準) ●オープン系であれば言語を選ばないエンジニアとしての地位を確立 ●フリーランスとしての独立開業 ●目標にした収入の確保				

将来計画シート(人生目標)の記載例/右半分

◆ＩＴ屋はＷＢＳで行動計画を立てられる粒度なら計画実行が可能である

数多くのＩＴ屋と会話していて感じることは、ＩＴ屋はどちらかといえば、中期もしくは長期の計画を立てるのは苦手でも、普段慣れ親しんでいるマスタースケジュールやＷＢＳの粒度、つまり1年以内ならうまく計画を策定し実行できる、ということである。

最長1年程度の計画であれば、息切れせずに実行でき、そこから月単位、日単位の行動計画にまで落とし込むことは得意なはずだ。将来計画シートで中長期の目標ができたら、それを1年単位の行動計画に落とし込んでいけばいいのである。そして、1年目の計画が完了する段階で、そこまでの進捗状況を振り返り、2年目の計画を策定する。そして2年目が完了したタイミングで3年目の計画を立てるのである。

これを年単位で繰り返しながら、徐々に目標の達成を目指すことで、普段仕事でスケジュール管理を行っているような感覚に近いイメージでライフシフトができるはずである。

年間計画シート

氏名 ●● ●●

作成日 23/06/30
改訂日 24/02/15

1年で目指すべき状態(目標)
・将来的なITフリーランスとしての独立開業を見据え、会社員としての現在の地位を活かしながら「三方よしアプローチ」での自己の技術力・営業力・管理力を身につけられている
・4月から6月は計画策定にあてたので具体的なアクションは7月から開始する

	実施項目	タスク		開始日	終了日	7月	8月	9月	10月	11月	12月	1月	2月	3月	月	月	備考
技術力	Pythonの実務レベルの技術習得	Python言語の習得	予定	7月1日	9月30日												夏季休暇などを利用して時間が取れたので学習に集中できた
			実績	7月1日	8月31日												
		これまでJavaでコーディングした内容のPythonへの移植	予定	10月1日	12月31日												業務繁忙期に入り残業が増えたので十分に時間が取れなかった
			実績	9月1日	1月31日												
		これまでC++でコーディングした内容のPythonへの移植	予定	1月1日	3月31日												現在進行中
			実績	1月1日													
営業力	上司をターゲットに自分の技術を売り込んでみる	週に1度は上司とコミュニケーションをとる	予定	7月1日	3月31日												現在進行中
			実績	7月1日													
		上司・同僚での営業シミュレーション実施	予定	9月1日	10月31日												夏季休暇などで十分に時間がとれたので前倒しで実施
			実績	8月1日	10月31日												
		評価面談でのPR実施	予定	11月1日	11月30日												上期評価面談で実施したが感触はいまいちであった。再度コミュニケーションとシミュレーションを行い次回の面談で再チャレンジする
			実績	11月1日	11月30日												
管理力	会社の自己啓発制度で書籍を購入	10冊書籍購入・読破	予定	9月1日	12月31日												業務多忙につき1カ月終了が遅延した
			実績	9月1日	1月31日												
	副業の実施	XX社からの寄稿対応	予定	1月1日	1月31日												先方都合で2月に実施
			実績	2月1日	2月28日												
	コミュニティ参加	参加すべきコミュニティ調査	予定	7月1日	9月30日												参加したいコミュニティが決まらず1カ月遅延
			実績	7月1日	10月31日												
		コミュニティ参加	予定	10月1日	3月31日												複数のコミュニティに現在参加中
			実績	11月1日													

年間計画シートの記載例

◆計画を立てる際に考えておくべきこと

いくら優れた計画を立てても、それが達成できなければ意味がない。むしろそのような達成できない計画を立てた自分を腹立たしく思うことすらあるだろう。

ＩＴ屋は、普段の仕事のなかにおいて「目には見えない」システムをつくる作業を行う。さらに顧客や周囲に起因し、自分には非がないようなさまざまな変動要因のなかで、苦しみながらスケジュールを遵守し、試行錯誤しながら仕事を進めている。そうした日常のなかで、自分のこととはいえ、まだ先の見えない将来計画を立てることにためらいがあるかもしれない。しかしこれは自分自身の人生のありかたであり、これから先、なにがあっても忘れてはならない目標である。そのためにも、無理せずに実行できる内容であることが重要なのである。年度単位の計画が終わった段階で、達成状況を把握することを毎年心がけてほしい。

ライフシフトプランでよくある質問

私は普段の活動のなかで、40歳以上のシニアIT屋のライフシフトプランについて相談を受けている。そのような相談のなかで、よく尋ねられる項目をいくつか紹介したい。

質問1　自分の「商品」である技術が定まらない

第1のアウトプットである「キャリア棚卸シート」を作成したことで、自身がこれまでIT屋として培ってきた職務について振り返り、その「強み」と「弱み」が明確になったはずである。

しかし、自分の商品（技術）が定まらない人は、あくまでも単に経歴を羅列しただけでは、「強み」として自分にはどのようなスキルがあり、弱みとして今後どのようなスキルを身につけ、伸ばしていくべきかまでをきちんと整理できていないのだろう。

そこで、まずこの段階で意識してほしいのが、いままでの職務・キャリアをもとに、一言でいえば「自分はどんなＩＴ屋なのか」を自身で説明できるようにすることである。

しかし、「パブリッククラウドのアーキテクチャ設計が得意」とか、「会計システムの構築が得意」などといったこれまでの経歴をベースに「いまの自分ができること」を論ずるレベルに終わってはいけない。これでは他のＩＴ屋と自分との違いが不明確なままだからだ。例えば、「オンプレミスからパブリッククラウドへの移行を中心としたアーキテクチャ設計が得意」や「さまざまな会計基準に準拠した会計システムの構築が得意」などといったような、他者との差別化を図れるような説明ができるようになっておいてほしい。そうすることで押し出せる自分の強みをはっきりと自覚できるだろう。

また、あなたの技術の幅広さを端的な一言で印象づけるパワーワードを持っていれば、相手に自分の技術の強みを確実に伝えることができる営業力の１つになるのだ。なぜなら採用側が期待するものは、担当する職務だけでなく、関連する他の領域でも活躍が期待できる「のりしろの広さ」だからである。採用する側が担当職務を明確に職務定義書として書くことが難しいのは、実際のビジネスが日々動いているなかで、必要な人物像やスキルも刻々と変化しているからである。そのため、ビジネスの変化に応じて、柔軟に行動できる人を求めるのはごく自然なことであることも覚えておいてほしい。

質問2　機会となるITトレンドの見極め方はどうすべきか？

いまやIT分野の専門書は多数出版され、インターネット上には日々新しいITキーワードが氾濫している。このような状況で、これから自分がチャレンジしていく分野をどうやって見つけ出していけばいいのかという悩みを持つ人も多い。

まずやってみてほしいのは、基本的な方法ではあるが、インターネット上にあるIT専門メディアを活用することである。このようなメディアには日々さまざまな最新の技術が紹介され、会員登録をすることで、毎日多くの記事を無料で読むこともできる。これらの記事から自分が今後強化すべき分野に関する情報を入手することから始めるのがいいだろう。そしてそのなかから、自分の得意技やチャレンジする分野の知識を深めていくのである。

またこれらの記事は、比較的深夜から早朝に配信されることが多い。これを利用して、朝の通勤時間などを情報収集の時間にあてることはどうだろうか。これであれば、日中は仕事が忙しい場合でも、誰にも邪魔されない時間やすきま時間を使って効果的な情報収集が可能である。

質問3　資格取得を行うべきか？

ＩＴ屋としてのスキルアップ、キャリアアップを図るために、さまざまなＩＴ系の資格にチャレンジする人も少なくない。一方で資格を取得したいけれど、種類が多く、どの資格を取得すればよいのかわからなくなるほど、いまやＩＴ系を含む資格の種類は多種多様である。

しかし、これらの資格を取得することにどのような意味があるのだろうかと悩むことはないだろうか。もちろん世の中には弁護士、公認会計士、税理士といったその資格がないとビジネス自体ができないものもあるが、ご存じの通りＩＴ屋の場合は、資格がなくともさまざまな職務で仕事をすることができるのである。

ＩＴ屋における資格の意味は、せいぜいその人の能力を客観的に証明することができ、その資格名を履歴書やスキルシートに書くことでアピールポイントに使える程度である。

採用する側から見ても、資格の保有だけで採用可否を決めるといったケースは少なく、これまでの職務経歴や経験を裏付けるぐらいのものだろう。まだ実務経験の少ない若いＩＴ屋や、これから新しい分野にチャレンジするような場合には多少有効だと思うが、シニアＩＴ屋の場合にはこれまでの知識と経験を体系化するレベルだと割り切ったほうがいいかもしれない。

近年、いわゆる民間資格や各種検定試験が増える傾向にある。これらは正直言って、実務で必要な試験とは言い難いものまである。しかし、すべての資格試験が無意味というわけではない。前述したように、ＩＴ関係の仕事は特段なんらかの資格がなくても就くことができるのだが、その資格の有無によって、案件の受注確度が上がる、報酬が増えるなど、プラスに働くものもある。

これはあくまで個人的な考えだが、ＩＴ屋にとって実際に役立ちそうな資格は、

- **ＩＴ屋としての基本技術の有無 …… 基本情報処理などの情報処理技術者試験**
- **国際的に一定の評価があるもの …… ＰＭＰ、ＣＩＳＡなど**

- 業務知識や製品の利用技術……簿記検定や各ベンダーの認定資格など

といったぐらいではないだろうか。40歳以上のシニアＩＴ屋は、資格の取得を目的とするのではなく、自分のこれまでのキャリアを裏付けるために資格を利用すべきである。

質問４　実務でなくとも知識・経験は積めるか？

ＩＴ屋のなかには、知識は書籍や資格で手に入れられても、経験を自分で積むことはできないと考える人が多い。しかし、いまやＳＮＳやクラウドコンピューティングが普及しており、実務で経験しなくとも実際にさまざまな情報にアクセスすることで、知識や経験を自分で積むことができる。

例えば、実機でソフトウェアやサービスを使ってみたいとする。このような場合、以前ならば必要なハードウェアやソフトウェアを購入するなど、個人で準備するには限界があった。しかし、いまやクラウドコンピューティングが普及し、多くのソフトウェアもクラウド上で利用できるようになりつつある。インターネットにつながったパソコンさえあれば、それらのトライアルなどを利用して、無料もしくは廉価でいろいろなソフトウェアやサービスに触れることもできるのである。

また、SNSや交流会に参加し、所属している会社の枠を超えて多様な分野の専門家と交流を深め、知識を得ることもできる。これは私自身の経験だが、2008年頃にツイッターを始め、2010年からはフェイスブックで1000人以上の人と日々情報交換をしている。もちろんそのような情報のなかには虚偽や悪意を持ったものが含まれているリスクはある。しかしそれ以上にメリットのほうが大きい。

例えば、公認会計士や税理士などの資格保有者と会計システム構築に関する意見交換をオンライン上で行うようなケースもあった。さらには、エンドユーザー企業の実務担当者や大手ITベンダーの担当者などを交えてお互いの知識や経験を出し合いながら議論を交わし、そのなかでいつしか自分の知識も増えていったこともある。

さらには、外部のセミナーや交流会などに参加することも有効である。近年はオンラインでのセミナーやカンファレンス、交流会も増えている。わざわざ日中の時間を割かずに、遠隔地であっても最新の情報やさまざまな人との交流も不可能ではない。

一部の企業のなかには、情報セキュリティを盾に社員がこれらに参加することをよく思わない会社もある。しかし、一定のルールと節度を守ったものであれば、これを組織が禁ずることはいかがなものだろうか。目くじらをたてるべきではなく、このようなことは個人の自由にゆだねるべきであろう。

質問5　計画が未達成の場合どうすればよいのか？

私自身の場合もそうであるが、達成できるかどうかわからない計画を立てることをためらう人は多いだろう。普段の仕事とライフシフトプランのどちらを優先するかといえば、間違いなく普段の仕事を優先すべきだと考える。そして、それらの状況によって計画を適切に見直すことが重要なのである。

つまり、仕事の状況によって計画が未達成なことや、変更を余儀なくされることをあまり気にしないことである。要はこうしたなかでも、恐れずに計画を立て、何度でも見直すことに意味があるのだ。そして中長期での計画内容は時として変わって当たり前だと割り切る。立てた計画をまずは実践してみて、試行錯誤を繰り返すことが重要なのである。

質問6 「3つの法則」のすべてをやらなければならないのか？

時間的な制約などの諸事情により、ゼネラリスト志向、三方よしアプローチ、中長期プランニングの3つの法則のうち、どれか1つだけに取り組みたいという声を聞く。しかしながら、これらは各1カ月の合計3カ月で完結するように設計している。そのため、私は「必ず3つを連続してやってほしい」と答えている。

なぜなら、変化の激しいIT業界のトレンドのなかで、それに合わせたライフシフトプランを作るにはどうしても3カ月は必要となってくる。各ステップを連続で行わないと、取り組むべきITトレンドをはじめとするアプローチに違いが生じる可能性があるのだ。

また、せっかく作った計画をITトレンドの変化によって適宜見直す必要も出てくる。しかしいったん3カ月間かけて計画を作ってしまえば、あとは仕事やプライベートの都合でスケジュールの変更を余儀なくされても、作成した計画の期間などを見直すだけで対応することができる。日々の忙しい限られた時間のなかで3カ月という時間を費やすのに抵抗があるかもしれない。しかし、これからのあなた自身の人生について考える重要な時間と位置付けて、人生の計画策定に取り組んでほしい。

質問7　計画策定を3カ月ではなくもう少し長期で取り組みたい

確かに、1カ月目の「ゼネラリスト志向」、2カ月目の「三方よしアプローチ」はこれまでの考え方を変えることや、いろいろと想像しながらアウトプットを行うため、時間がかかる面も否めない。どうしてもゼネラリスト志向と三方よしアプローチのステップに時間がかかるようであれば、速やかに年間計画を立てるなど、3カ月目の「中長期プランニング」に取り組む時間を短めに設定するような工夫は可能である。

だがその際には、将来計画シートを十分に検討できなかったために、計画策定後の実行段階である程度、計画の見直しが発生する可能性があることを認識しておいたほうがいいだろう。

質問8　1日のなかでいちばん集中できる時間をライフシフトに使いたい

よく聞かれる質問に、忙しい日々のなかでいつライフシフトを考えるべきかというものがある。確かに、本章で扱ったライフシフトプランを作成するためには膨大な時間が必要となり、忙しいなかでそれらをこなしていくのは並大抵のことではない。そのような人に私は早朝に活動する「朝活」をおすすめしている。

朝の時間は日中の3倍のパフォーマンスが出せ、

- **集中力があがる**
- **自己肯定感があがる**
- **前向きな気持ちになる**

などのメリットがあるとされている。

私の場合は基本的に毎朝4時に起床して、夜間に入ったメールの処理や、自社の業務処理などさまざまな仕事を行っているが、確かに日中や夜間にこれらの作業を行うよりも、効果的に仕事を進めることができている。また、一般的にIT屋は残業なども多く夜型のイメージがあるが、実は国内外で「仕事ができる」と言われる人の多くは朝型が多い、という話もある。

しかしながら、夜型の人が早起きすることはハードルが高いだろう。そういう人は、慣れるまでは日中眠くなる、睡眠時間が短くなる、といった理由が多いのだが、これらは早起きが習慣化してしまえば、比較的簡単にクリアできる。朝にシャワーを浴びてリフレッシュする、簡単なウォーミングアップをするのも効果的である。また食事の時間や入浴時間、夜にネットサーフィンをするなどといった夜の時間を見直せば、早く休むことができ、早起きの習慣を身につけることができる。

朝の時間は夜と比較して3倍のパフォーマンスを上げられるともいわれている。そして一定の睡眠時間を確保しながら、生活サイクルを少し見直すだけで効率的にライフシフトプランを実行することができるのである。

CHAPTER

5

40歳以上のIT屋は
これからをどう生き抜くべきか

ここまで、34年にわたる私の経験にもとづいて、IT屋が40代からのライフシフトに挑む具体的な方法について説明してきた。

本章では実例をもとに、ライフシフトを実現させるポイントを詳しく解説する。

シニアIT屋の転職について

IT屋は「手に職(技術)」を持つ職業である。だからこそ他の職業と比べて転職がしやすい。

実際、私自身も20代、30代、40代、50代と、それぞれ1回ずつ計4度転職した。いまから考えると、このように転職を繰り返してこられたのもIT屋だったからだろう。しかし、技術さえあれば、いつでも容易に転職できるというわけではない。

ここではIT屋の転職動向について説明する。

各年代別の転職者への期待値

IT屋は自分の技術をベースに転職できるが、自分の望む企業や職種にいつでも転職できるわけではない。そこには当然採用したい年齢層によって、企業側が求めるものは異なる。そこでまず、転職者の年齢層別による期待値について述べる。

◆20代 ～技術よりもポテンシャルが優先される

この年代の転職は、第2新卒という言葉があるように、1社目の会社とのミスマッチを解消する目的で転職する場合が多いだろう。そのため、キャリアアップというよりも、これからまた新しい会社に入社して、新たな技術を吸収しながら経験を積んでいく姿勢が期待されている。

◆30代 ～戦力として会社への貢献が期待される

10年選手といわれるこの年齢層は、これまでの会社でITの仕事内容を一通り経験している状況にある。そのため新しい技術の吸収力も早く、高い成果を出せることが期待されている。ある意味、企業側もこれからの戦力として大きな期待を寄せる年代であり、転職するのに最も有利である。実際に私自身もこの年代では、転職活動を始めて1カ月以内に内定を獲得し、早々に新しいスタートを切ることができた。

◆40代　～即戦力・管理職として会社の利益への貢献が期待される

40代といえば、会社の中核を担うベテラン層である。そのため、地位や給与面で最も好待遇となる時期であり、広範囲にわたる業務知識・経験と業績に貢献する期待値も相当に高い。

具体的には、次のようなものがある。

- **自社が持っていない売れる技術を持っており、売上・利益に直結する**
- **管理職として要員育成に貢献できる**

ＣＨＡＰＴＥＲ２「40歳以上のＩＴ屋が転身でハマりやすい落とし穴」で触れた「ハイクラス転職」の主なターゲットとなるのは、まさしくこの層である。

私の場合は、担当していた製品が当時のＩＴトレンドではなかったことと、管理職経験が少なかったこともあり、面接まで進んでもなかなか内定を勝ち取ることができなかった。

◆50代 ～経営層・上級管理職として組織をリードすることが期待される

50代の転職は厳しいといわれている。なぜなら、50代をターゲットにした求人が少ないうえに、大手企業を早期退職した人など、数多くの人材が数少ない求人枠に殺到するのだから、当然といえば当然である。

転職の難易度が高くなる一方で、経営層・上級管理職として会社をけん引できるような人材には需要がある。ただし、企業側もそれなりのポジションを見据えるため、採用はかなり慎重になる。そのため、転職活動が長期戦になる年齢層である。私自身もこの年代での転職は、活動を始めてから内定を得るまで、半年近い月日がかかった。

40代半ばからの転職を成功させるために

年齢層別の期待値からもわかるように、即戦力や管理職候補としての活躍が期待されている40代の転職市場はまさに活況だ。しかし、それは40代前半までで、40代半ばを超えると状況が一変する。

さまざまな転職エージェントや求人サイトに登録し、自分が活躍できそうな求人に応募しても、なかなか内定が獲得できない経験をした読者も多いのではないだろうか。私自身も40代の転職で苦労したのは、45歳という年齢にあった。

厚生労働省の「令和3年雇用動向調査」によると、30～34歳男性の転職入職率の平均が9・2%であるのに対して、45～49歳では4・5%と約半数に減少している。この数字からも40代半ば以降の転職の難しさを物語っている。

◆なぜ40代半ばからの転職が難しくなるのか

企業が中途採用の求人を行うのは、主に次の4つの理由がある。

- **即戦力の確保**
- **退職者の穴埋め**
- **年齢構成バランス**
- **企業がその時に必要なスキルやキャリアを持つ人材の確保**

この理由だけだと、必ずしも40代半ばの人材を歓迎しない理由にはならない。しかし採用する企業としては、できるだけ長く勤務できる人材を求めているのは事実である。さらに、採用側が40代半ば以上の求職者に求める条件は、その企業にとって確実に役立つスキルやキャリアを持つ人材であることはいうまでもなく、20代や30代よりも相当に高い水準を期待してくる。確実に会社貢献でき、現社員と上手く調和が保てる人材を求めるため、条件は一気に高くなり、応募できる求人も絞られるのである。

◆転職後の賃金は現職よりも下がることも想定する

20代や30代の場合は、転職により現職から収入がアップすることが多い。しかし、40代以上のシニア層の場合は、現職よりも収入がアップするとは限らない。

厚生労働省の「令和2年転職者実態調査」によると、40～44歳までの転職者のうち、41・7％が転職により賃金が増加したと回答している。しかし45歳以上になると、収入アップの割合が27・0％と減少している。私自身も30代半ばで転職した時は転職前よりも収入が増加したが、40代、50代で転職したときは、前職よりも収入が減少した。

これは、転職先の規模や、給与水準、役職など、採用する企業側の都合にもよるかもしれないが、45歳以上で転職する場合は、いま在籍している会社よりも収入がダウンすることも想定しておくべきである。

シニアIT屋が転職で成功するために　~三方よしアプローチの管理力を活かす

シニア層の転職環境には厳しいものがあるが、これはわれわれが属するIT業界も例外ではない。しかし、CHAPTER3で説明した三方よしアプローチの1つである「管理力」を活かして、転職活動を有利に働かせることができる。

◆リファーラル採用に生きる「人脈」の力

IT屋のライフシフトにとって、過去の職務で得られた人脈はかなり有効である。読者のみなさんはリファーラル採用という言葉を聞いたことがあるだろうか。リファーラルという言葉には推薦や紹介という意味があり、従業員が持つネットワークを利用した採用手法である。

リファーラル採用はいわゆる縁故採用と似ているように思うかもしれないが、全く異なるものである。縁故採用は紹介者と応募者の関係性を重視して採用するのに対して、リファーラル採用はあくまで経歴やスキルを重視して、自社で活躍できそうな人物を採用するものである。

つまり、普段から自分のスキルや人間性を正しく理解してくれる人脈を形成していたなら、

- **一緒に働きたい**
- **自分の会社に合いそうだ**

などといった理由で、先方から声がかかるようなことがある。日頃から会社人脈を個人人脈に変えて維持しておくという「管理力」を意識して行動することで、新しい人生に一歩踏み出すきっかけになるのである。

◆「自己投資」によるリスキリング

最近はＤＸ需要の高まりにより、ＩＴ屋にＡＩなどＤＸに必要なデジタル技術を

再教育するリスキリング（学び直し）が注目を集めている。なかには、ＤＸの導入に関心の高い業種における経験が深いＩＴ屋をまず採用し、その人材を会社の教育投資としてリスキリングしてから、各企業のＤＸプロジェクトに参画させるといったコンサルティングファームやＩＴ企業も出始めている。

しかし本来リスキリングは、一人一人のＩＴ屋が自発的に行うものであって、会社が率先して行うものではない。これは、本書の冒頭から指摘している「会社中心のキャリア」の延長線上にほかならない。しかも、会社がリスキリングしてくれるのは、特定の業種や分野に卓越した実績のある人材にだけである。

考えてみれば、会社に頼らずとも、一人一人のＩＴ屋が自分自身に投資してリスキリングを行えばいいだけのことである。自律的にキャリア形成を行うことが契機となり、自らの活躍の場が広がるのである。

フリーランスは本当に年齢に関係なく活躍できるのか？

ＣＨＡＰＴＥＲ２で述べたように、ＩＴ屋の新しい働き方として、フリーランスが注目を集めている。しかし、フリーランスは会社員とは異なり、年齢に関係なく、いつまでも働き続けることが本当にできるのだろうか。

私自身は52歳で独立開業し、現在自分の事業とＩＴフリーランスを兼ねて活動を行っているが、幸いにして、ほぼ仕事が途切れることなく活動も続けられている。

これらの体験を踏まえて、40歳以上のシニアＩＴ屋が、フリーランスとして活動するためのポイントを紹介する。

フリーランスにもある年齢の壁を乗り越えるために　～三方よしアプローチの「技術力」と「営業力」を活かす

基本的に、フリーランスには定年という概念はない。技術力と気力、体力さえあれば、60歳や70歳でも活動することができる。

しかし、フリーランス案件のなかには、年齢制限が設けられているものも少なくない。そのため、ある一定年齢以上になると案件への応募自体ができなくなることもある。また年齢制限がなくても、現場を管理するマネージャーが自分よりも年下ということも多くなるため、年上のフリーランスは使いにくいという考えから、採用を手控えるケースもある。これは私の主観だが、55歳を過ぎたあたりから年齢制限で応募できる案件数が激減するように思う。

もちろん、この年齢を越えたらすべてのITフリーランスの案件に応募できなくなるというわけではない。年齢の壁を乗り越えるだけの技術力と、それを的確にアピールするだけの力があれば、その可能性は十分高まってくる。

そこには、三方よしアプローチの「技術力」と「営業力」が活きてくるのである。

◆自分の「技術力」で案件応募の可能性を広げる

ITフリーランスのなかには、開発に使用するOSやミドルウェア、開発言語などをバージョンレベルにまで細かく絞ったうえで案件を探す人がいる。これは自分が対応できる条件を明確に示すという意味では悪いことではないのだが、募集中の案件のなかに、そのスキルセットに合致するものがあるとは限らない。

年齢や経験年数を重ねるとともに、1つの技術への深さだけを追求するのではなく、対応できる技術の守備範囲を広げていく必要がある。いま保有している技術・スキルにプラスアルファの能力を発揮できるような応用力を持っておいてほしい。

◆「営業力」で案件を獲得する

3つの三方よしアプローチのうち、ITフリーランスで活動するうえで最も威力を発揮するのは「営業力」である。フリーランスは、自分で営業活動をして仕事を獲得し、その仕事を自分でこなしていかねばならないからである。

まず案件(仕事)を獲得するには、スキルシートによる書類選考と1~2回の面談を突破しなければならない。書類選考を突破するには、その案件にとって自分のスキルがどれだけ有効なものかをPRすることが必要である。CHAPTER3でも説明したように、私の場合は可能な限りその案件内容に合わせて、スキルシートを個別に書き直すことや、補足資料を添付している。こういった営業力でその案件に合った自分の技術力を売り込み、年齢制限の枠を超え、書類選考を突破し、面談に進むことができたのである。

さらに面談の場に進んだら、コミュニケーション力も重要である。フリーランスの案件面談は、1回30分程度で現場の担当者と行うことが一般的である。つまり、与えられた短い時間内で相手に自分のスキルをPRし、質問に的確に答え、なおかつ好印象を与えることが必要なのである。

IT屋であることを辞めて自分で別のビジネスを始める

40歳以上のシニアIT屋のなかには、IT屋であることを辞めて、自分でなんらかのビジネスを始めたいという人もいる。

ここでは、IT屋を辞めて独立開業を考えている人に、そのメリットとデメリットを説明する。

シニア層の独立開業事情はどうなっているのか?

近年、アントレプレナーという言葉がもてはやされ、起業への関心が高まっている。これは、40歳以上のシニア層でも例外ではない。日本政策金融公庫の「2019年度新規開業実態調査」によると、起業者の平均年齢は43・5歳となっている。つまり、シニア層のライフシフトの手段の1つとして、起業が一般化しつつあるのだ。さらに自治体なども各種助成金や補助金などで、シニア層の起業を支援するさまざまな施策を打ち出している。

ビジネスを始めること自体は比較的簡単なように思えるが、それを持続することは非常に難しい。起業してから5年間、事業を継続できる企業は「約40%」ともいわれ、10人に6人は5年以内に廃業することになるのである。これはあくまでも中小企業のデータであり、個人事業主のフリーランスとなると、その率はさらに厳しくなる。

IT業界以外に活路を求めるIT屋の現実

最近、複数の50代のIT屋から、IT業界を辞めて、自営でIT以外のビジネスを立ち上げたいと相談された。その理由を聞くと、「IT屋であることに疲れた」というのだ。では「IT屋を辞めたあとはなにをしたいのか」と聞けば、

- **趣味を活かして飲食店やセレクトショップを開業したい**
- **社会保険労務士や行政書士など、取得した資格を活かして独立開業したい**
- **フランチャイズビジネスで開業したい**

というのだ。

これまでIT業界しか知らなかった人がいきなり異業種のビジネスを始めて、そう簡単にうまくいくものだろうか。また、このような人はある意味「覚悟」を決めて新しい挑戦をするのだろうが、具体的にどう進めていいかわからない人も多い。

ここでは、そのような独立開業して新しいビジネスを起こす場合のポイントを紹介する。

◆初期投資(開業資金)はどこまで必要か?

日本政策金融公庫総合研究所の「新規開業実態調査(2021年)」によると、新規開業資金の平均は941万円となっている。その一方で、500万円未満で起業した人が42・1%となっており、思いのほか少額で起業している人が多い。

しかし、新しくビジネスを始めるのは比較的簡単でも、せっかく始めたビジネスを維持し、守り抜くことは容易ではない。自分でビジネスを始めた以上、会社勤めとは異なり、なにもしないと一切お金は入ってこない。また、ビジネスが動いていなくても、家賃や光熱費、さらには税金や社会保険料などのさまざまな出費は常に必要である。

かくいう私自身、開業当初は相当お金で苦労した。例えば、

- **思うように仕事が受注できない**
- **受注した仕事が途中でキャンセルになる**
- **仕事が完了して請求したのに支払ってもらえない**
- **税金や社会保険料の支払を滞納しそうになる**
- **思わぬ出費で生活が回らなくなりそうになる**

といった状況が実際に何カ月も続いた。しかし、ただ指をくわえて待っていてもなにも状況は好転しない。そこで私は、自分のビジネスや生活で必要なお金の流れを徹底的に把握するようにしたのである。具体的には、自分のビジネスにまつわる毎日のお金の流れを、リアルタイムで会計ソフトに入力するようにした。

こうすることで、自分のビジネスに関するお金の流れだけでなく、

- **あといくら稼がなければならないか**

を随時把握して、行動できるようになったのである。

◆資格だけでは食べていけない士業の現実

独立開業を考えるIT屋のなかには、会社員時代に、司法書士や中小企業診断士、社会保険労務士、行政書士などの資格を取得して、それらを活かした独立開業を考える人も多い。

しかしその一方で、それらの資格を取得するだけでは事業として成立させることは難しいという声も聞く。また最近は、行政のデジタル化の流れを受けて、これまで士業に依頼していたさまざまな手続きを自分自身で行う人も増え、士業のニーズが少なくなっているともいわれている。

しかし私は、このような行政手続のデジタル化が進んでも、士業のニーズは減少しないと考えている。なぜなら、クライアントからすれば、

- 自分にはどのような許認可や行政手続が必要か
- 実際の手続以外に、自分が行うべきことはなにか

など、実際には手順が複雑でわからないことが多く、そこに労力をかけていられないのである。このような悩みを持つ人に寄り添い、支援するコンサルティング的な役割が、これからの士業には求められるのである。

ただし、資格を取得しただけでそれを実現することは難しい。これまでの経歴や経験などを踏まえて、士業として独自のポジションを明確にすべきである。私の周囲でもこれまでの介護経験を踏まえて、成年後見や相続に特化した士業として成功をおさめている人もいる。

このように自分自身のポジショニングさえ明確であれば、他者との差別化も行いやすく、士業として事業を成功させることもできるであろう。

◆フランチャイズ加盟で成功できるのか

世の中にはコンビニエンスストアや飲食店をはじめ、多数のフランチャイズ

チェーンが存在している。そのなかには、定年後のシニア層や会社員からの独立希望者をターゲットにしたものも少なくない。

確かにフランチャイズに加盟することで、フランチャイズ本部の知名度や商品・サービスに関するノウハウを利用できる。そのため、一から商売を始めるよりはリスクが少ない。フランチャイズ本部から開業や運営支援を得ることもでき、初期投資額も数百万円程度といわれており、自己資金が少なくても開業することができる。

しかし、次にあげるようにフランチャイズでの失敗例も多い。

- **資金不足により廃業を余儀なくされる**
- **環境の変化に適応できなくなる**
- **オーナーの能力不足により経営が行き詰まる**
- **契約条件で本部とトラブルになる**

これらの失敗原因は、指導不足によるものではない。フランチャイズ本部が指導するのは、あくまで店舗やサービスを運営するノウハウであって、独立した事業者としての経営ノウハウまでは指導してくれない。IT屋はあくまでシステム設計やプログラミングなどのプロであっても、経営のプロではない。

フランチャイズでビジネスを開始する場合でも、まずは経営に関するノウハウを身につけることから始めるべきである。

◆IT屋は中小企業向けのITコンサルとして独立開業できるのか

IT屋のライフシフトに関する支援を行うなかで、次のような人に出会うことがある。「自分は大企業で○○年IT化にかかわる仕事をしてきたから、これからはその経験を活かして中小企業のITを普及させる仕事をしたい」という人だ。

その考え方自体を否定するつもりはないが、その人たちのこれまでのキャリアを聞くと、いままで中小企業との接点がほとんどない人が多いのだ。

私はこれまで約4年間中小企業を経営し、多くの中小企業経営者と交流してきた。そのなかで感じたことは、中小企業のIT化へのニーズは意外にも低いということである。中小企業庁の「中小企業白書(2021年)」によると、企業でまず導入されているであろう人事給与・会計といったシステムですら、半数から6割程度の普及率なのある。

ＩＴ屋のなかには、大企業と中小企業のシステムの違いは、データ量やユーザー数ぐらいだと思っている人がいるかもしれない。しかし中小企業では、その業務をＩＴ化する必要性や、投資できるコスト、サポートする人員など、ＩＴにかかわるさまざまな事柄が大企業とは異なるのである。

中小企業は景気の変動や世の中の変化により、その業績に一喜一憂し、倒産のリスクと隣り合わせに会社を維持し続けている。そのようななかで、大企業の、しかも限られた分野のシステムだけしか知らないＩＴ屋が簡単に稼げるほど、中小企業のマーケットは甘くはない。中小企業は大企業の縮小版ではないのである。

中小企業相手にビジネスをするなら、まずは中小企業経営についての理解を深めるべきである。

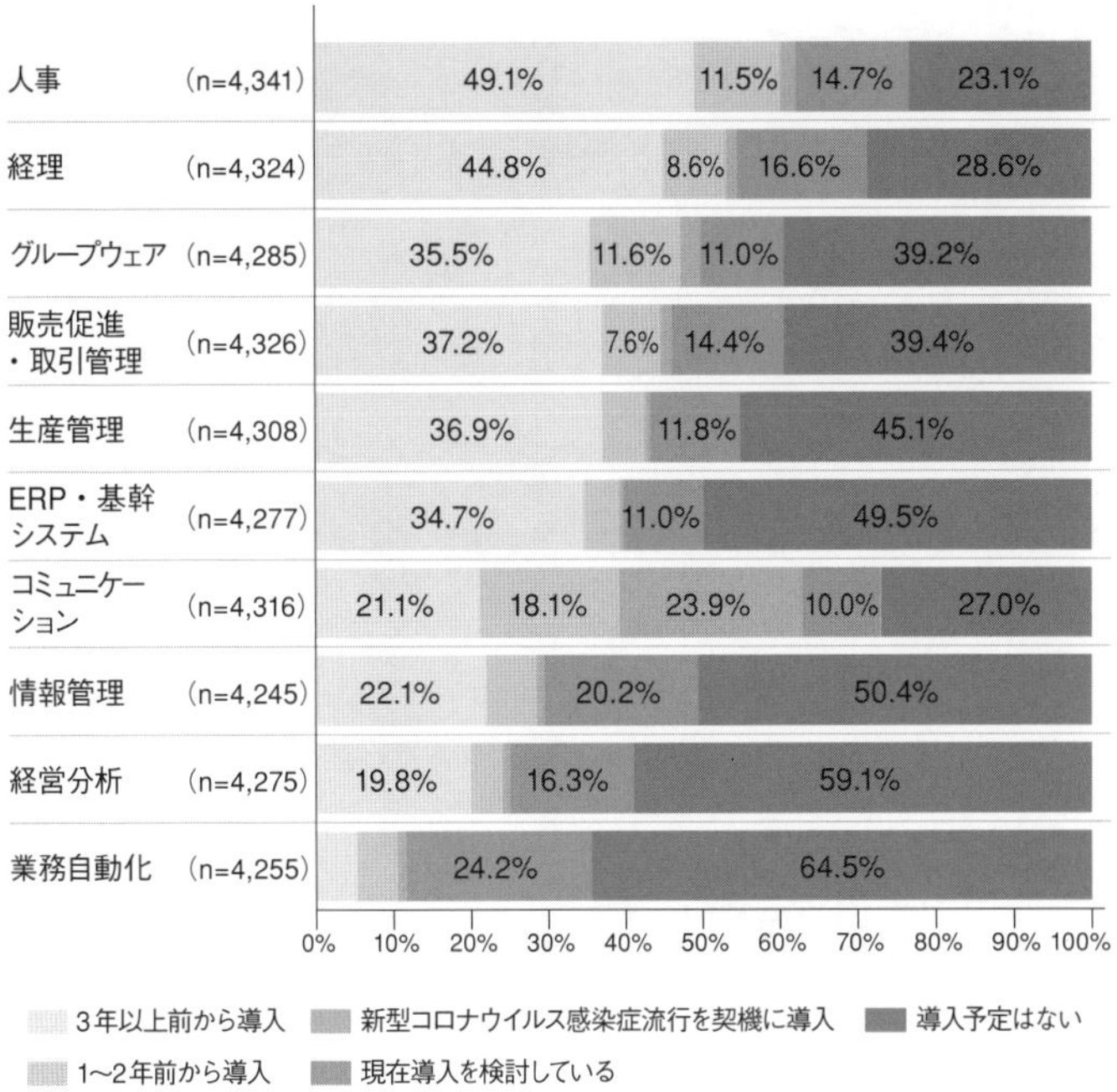

人事 (n=4,341) 49.1% 11.5% 14.7% 23.1%

経理 (n=4,324) 44.8% 8.6% 16.6% 28.6%

グループウェア (n=4,285) 35.5% 11.6% 11.0% 39.2%

販売促進・取引管理 (n=4,326) 37.2% 7.6% 14.4% 39.4%

生産管理 (n=4,308) 36.9% 11.8% 45.1%

ERP・基幹システム (n=4,277) 34.7% 11.0% 49.5%

コミュニケーション (n=4,316) 21.1% 18.1% 23.9% 10.0% 27.0%

情報管理 (n=4,245) 22.1% 20.2% 50.4%

経営分析 (n=4,275) 19.8% 16.3% 59.1%

業務自動化 (n=4,255) 24.2% 64.5%

0% 10% 20% 30% 40% 50% 60% 70% 80% 90% 100%

3年以上前から導入　新型コロナウイルス感染症流行を契機に導入　導入予定はない

1~2年前から導入　現在導入を検討している

出典：中小企業庁「中小企業白書(2021年)」

中小企業のIT導入状況

ＩＴ屋のライフシフト実現策

ここまで述べたように、転職、フリーランス、起業など、ＩＴ屋のライフシフト実現策には複数の方法がある。しかもその選択肢は１つではない。年齢や経験により、とるべきライフシフト策も異なる。

ここからは、40歳以上の年齢層ごとのライフシフト実現策について説明する。

40代前半 ～いまの会社に残るか、転職して他社で腕を磨くか

読者のみなさんは、いまどの年齢層に属しているだろうか。40代前半のＩＴ屋なら、ライフシフトの手始めとして、まずはいまの会社に残るか、あるいは他社に転職するかを判断すべきであろう。つまり本書で作成した「ライフシフトプラン」に沿って、実際にライフシフトへの第一歩を踏み出すのである。

現在勤めている会社で自分のライフシフトプランが実現できそうならば、無理に転職する必要はない。いまの会社に残るか転職するかどうかで悩んだときは、次のポイントを参考に判断してほしい。

- 勤めている会社は、自分がIT屋でいる限り勤め続けられる会社か
- いまの会社で勤めていた場合、5年後の自分はどのようになっているか
- いまの会社で、自分のライフシフトプランで描いたスキル・経験を得られるか
- いまの会社で、自分のライフシフトプランを実現するためのお金を稼げるか
- いまの会社で、自分のライフシフトプランを実現するための人脈をつくれるか

これら5つのポイントを踏まえたうえで転職するという判断になった場合は、目先の地位や収入ではなく、自分自身のライフシフトプランが実現できるかを判断材料として、転

年代	この年代で難しくなってくるライフプラン	新たに考えるべきライフプラン
40代前半	いまの会社に残る	他社への転職
40代後半～50代前半	いまの会社に残る 他社への転職	ITフリーランス
50代後半	いまの会社に残る 他社への転職 ITフリーランス	複数の選択肢を持つ

年代別のIT屋のライフシフト実現策

職活動を進めてほしい。

40代後半から50代前半　～フリーランスで独立すべきかどうか考える

40代後半から先になると、いよいよこの先の人生について考え始める人が多くなってくるだろう。先述したように、現実として45歳以上になると求人案件も激減し、転職でキャリアチェンジを行うことが難しくなってくる。

しかしITフリーランスならば、この年代での案件は選択肢も多く、現職の収入を超える報酬を得られる可能性もある。しかし、会社員からフリーランスになることを不安に思う人も多いはずである。自分がITフリーランスになるかどうかを悩んだときは、次のポイントを判断材料にしてほしい。

- **自分の経験・スキルで応募できるITフリーランス案件はどのぐらいあるか**
- **他の人と比べて自分が誇れる経歴やスキルはあるか**
- **面談などで自分の経験やスキルを適切にアピールできるか**
- **仕事がなくとも最低2カ月は生活できるだけの貯蓄はあるか**

●いざというときに自分の話を親身に聞いてくれる知人・友人はいるか

この5つのポイントでいまの会社を続けるにしろ、他社に転職するにしろ、会社員であるという選択をした場合は、会社員としての今後の処遇がどうなっていくのかをしっかり見据えておかねばならない。

一方で、ITフリーランスとなる場合でも、複数のフリーランス案件サイトやエージェントに登録して、自分が参画できる案件がどれぐらいあるかを調査しておくべきである。

◆副業からフリーランスにチャレンジする方法もある

近年、IT屋でなくとも、副業でフリーランスにチャレンジする人が増加している。これは働き方の変化などによって、副業を解禁する企業が増えているからである。また、副業で事業を始めておくと、フリーランスとしての立ち居振る舞いも理解でき、ともすれば実際に独立開業してからも、継続して仕事をもらえる関係に巡りあえる可能性もある。

その意味で、独立開業前に副業としてフリーランスを経験することは悪いことではない。ただし、本業の勤務先が副業を認めていない場合もある。また、身体や精神に負担をかけないよう本業と副業のバランスをとることも重要である。

50代後半から　〜ＩＴ屋を継続するかどうかを考える

50代後半といえば、そのまま会社に在籍し続けたとしても、もはや昇給・昇格は望みにくい年齢層である。転職しようとしても求人案件数は激減しており、ＩＴフリーランス案件も年齢制限で参画が難しくなり始める。

さらに、この年齢になれば、いくら経験やスキルがあっても気力や体力面でフルタイムでの仕事がだんだん厳しくなってくる。このような状況から考えて、ＩＴ屋以外のキャリアも視野に入れてライフシフトプランを考えるべきだろう。

具体的には、在宅勤務でのライティングや事務代行など、ＩＴ以外のフリーランス案件にチャレンジすることや、これまでの資格やキャリアを活かして新たなビジネスにチャレンジするのもいいだろう。いずれにしても、この年齢になると、万が一のことを考えて複数の収入源を確保することをおすすめする。

しかし、この年齢から新たな分野にチャレンジするのは難しいという人は多い。そのような人は、これまでの経験やキャリアではなく、自身のいまの気力や体力を含めて、次の観点から今後のライフシフトプランを考えてみてほしい。

- **自分はこれから何年先まで仕事をしていたいか**
- **IT屋以外に自分自身にはなにができるか**
- **仕事をしなくとも何カ月程度は生活することができるか**
- **IT屋以外にもいくつかの仕事をかけ持つことはできるか**
- **自分より若い人と交わって円滑に仕事をすることができるか**

この5つのポイントは、この先どのような職業に就くかというよりも、この先どのような職業で生活をしていくかが重要である。

しかし、案件数こそ減ってはいるが、55歳以上でも参画可能な案件はもちろんある。また、レガシーシステムから新システムにマイグレーションするニーズもあり、スキルさえあれば年齢を押しのけることも不可能ではない。

いずれにしても、自分自身のスキルの幅が狭ければ、活躍の場も自然と狭いものにならざるを得ない。ここは「ゼネラリスト志向」の観点で、自分がチャレンジできる分野の幅を見つけて広げていくべきだろう。

ＩＴ屋のライフシフトの成功例

ＩＴ屋のライフシフトには、失敗例もあればもちろん成功例もある。ここでは3人を例にシニアＩＴ屋のライフシフトの成功例を紹介する。

（事例１）　資格取得と実務経験で内部監査人としてのキャリアを打ち出す

ライフシフトを考えるうえで、新たな資格取得を目指す人も多い。取得した資格とこれまでの経験をうまく組み合わせて活躍している人もいる。

１人目は、これまでのＩＴ屋としての経験に加え、内部監査部門への異動を契機に資格取得を目指し、現在は資格と実務経験を活かして活躍を続け、50代後半になってから転職に成功した人を紹介しよう。

彼の名前はMさん。現在、ある企業の内部監査部に勤務している。もともとは、製造業のＩＴ部門に在籍し、ＥＲＰの導入など数多くのプロジェクトに参画していた。

しかし、２０００年代に内部統制報告制度（Ｊ－ＳＯＸ）の担当者に任命され、以後は主に海外子会社の内部統制を担当するようになった。そして、この間に公認内部監査人（ＣＩＡ）や公認情報システム監査人（ＣＩＳＡ）の資格を取得するとともに、ＴＯＥＩＣで高得点を獲得し英語力を磨きあげたのである。その後は、海外に進出する日本企業の内部監査担当として、数社で活躍し続けている。

Ｍさんがこのような新たなチャンスを得られたのは、当然グローバルで活躍できる英語力があったからだが、これまでの実務経験に加え、ＣＩＡ、ＣＩＳＡといった専門性のある資格をプラスすることで、年齢のハンディを超えて活躍の場を広げていったのである。

（事例２）「人脈」と「仲間」を活かしフリーランスとして活躍

Ｋさんは59歳のＩＴコンサルタントである。もともとは大手コンサルティングファームのパートナーとして勤務していたが、現在はフリーランスのＩＴコンサルタントとして活動している。専門分野はＩＴ運用管理体制の構築とＰＭＯだ。

Ｋさんの特長は、その仕事の獲得方法にある。自身の人柄とスキルに加えて、これまでの人脈を活かして仕事を獲得しているのだ。自分が信頼できる人やかつての自分自身の価値をわかっている人からの紹介案件であれば、仕事を任せるほうも受けるほうも安心である。

Ｋさんのように、自身の販路として複数の信頼できる人をつないでおくことは有効だ。このようなワークスタイルを実現するために重要なのは、ＣＨＡＰＴＥＲ３で説明した管理力のうちの「人脈力」だ。会社人脈を個人人脈に変えることで、ネットワークを活かし、無理することなく案件を獲得できる可能性が高くなる。そしてこのように自分のペースで案件を獲得することができれば、精神的にも余裕ができ、案件の合間に長期の休暇を取ることもできる。

Ｋさんは、このように仕事とプライベートのワークライフバランスをとりながら仕事を続けている。ＩＴ屋が今後長い期間働き続けるには、このようなワークライフバランスも必要である。

（事例3）　ITフリーランスで資金を確保し自らのビジネスを開発

最後に、私自身の例を紹介したい。本書の随所で触れてきたが、私は52歳の時に会社員生活に終止符を打って独立開業した。しかし、正直言って、独立の段階で持っていたのは、さまざまなIT業界とそこで日々頑張るIT屋が抱える問題を解決したいという思いだけであった。しかも自己資金がほとんどない状態からのスタートであった。そのようななか、開業へ後押ししてくれたのは、ITフリーランスとして、場合によっては会社員時代よりも稼げる可能性があるという自分自身の確信だった。

開業後は、ITフリーランスとして活動するかたわら、IT業界とIT屋に対する問題意識を解決するようなビジネスを立ち上げた。現在は本書で取り扱った、40歳以上のシニアIT屋ライフシフトを推進する事業のほか、ライフシフトした40歳以上のIT屋の活躍の場として、

- 脱SESで請負型開発を目指すIT企業の新規事業開発の支援
- クラウドソリューションを活用した中堅・中小企業のDX推進

の2つのビジネスを展開している。ありがたいことにＩＴフリーランスとしての収益のおかげで、独立開業から3期連続で黒字決算を達成できている。

このようにフリーランスとしてある程度の収入を得ながら、自分自身のビジネスを創り出せるのも、ＩＴ屋だからこそできる技である。

ここでは、実際に５０代でライフシフトを実現した3名の実例を紹介した。私を含む3名ともライフシフトの途上で、さまざまなことがらに頭を悩ませ、その悩みを乗り越えていまの自分がある。その一方で、1度の失敗で頭を打ち、ライフシフトのチャンスがあっても再起することなく、そのままあきらめてしまう人もいる。しかし、人生は何度失敗してもやり直しができる。ＩＴ屋として技術さえ持ち合わせていれば、その技術を活かし再起できるのである。

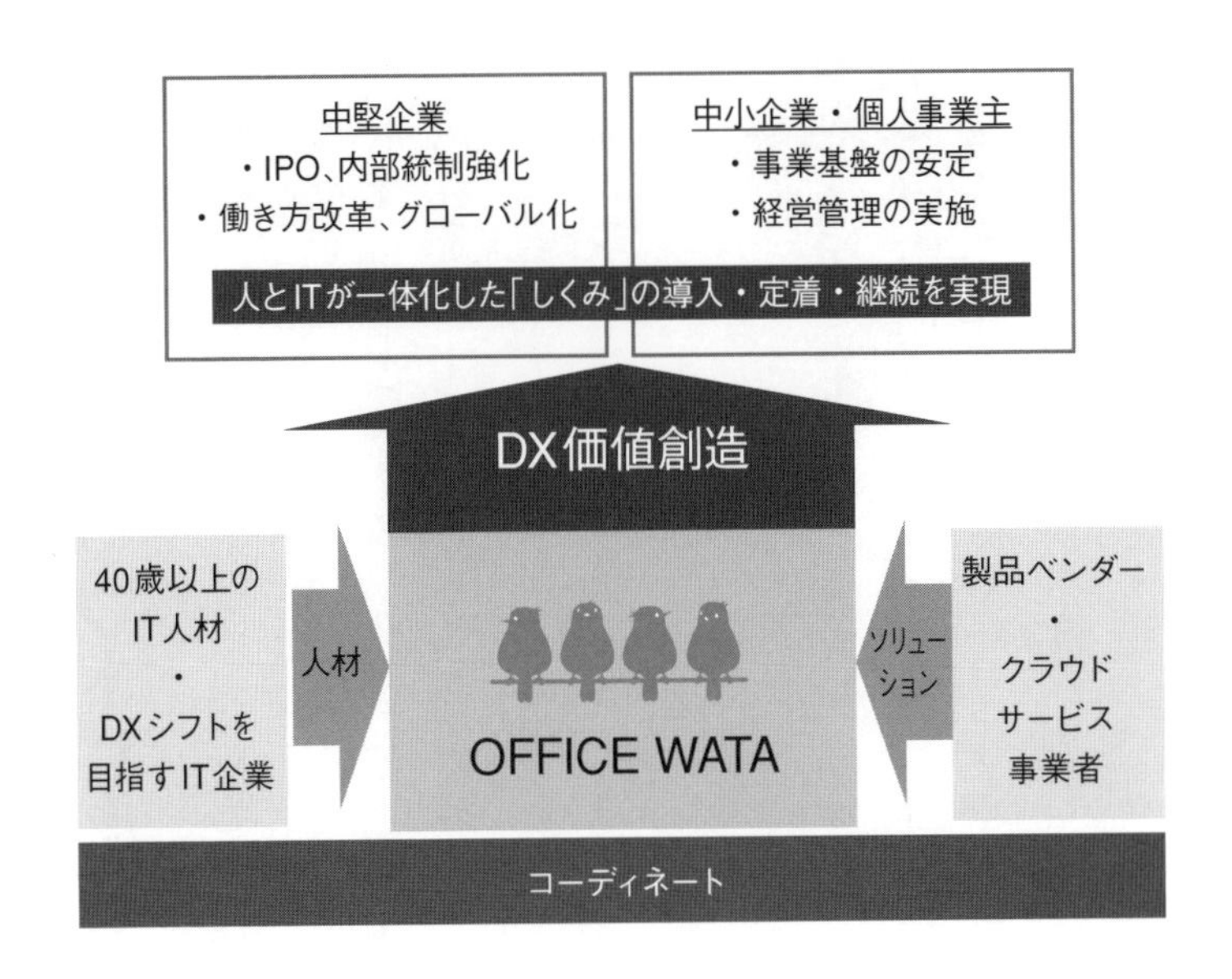
中堅企業
・IPO、内部統制強化
・働き方改革、グローバル化
中小企業・個人事業主
・事業基盤の安定
・経営管理の実施
人とITが一体化した「しくみ」の導入・定着・継続を実現
DX価値創造
40歳以上の
IT人材
・
DXシフトを
目指すIT企業
人材
OFFICE WATA
ソリュー
ション
製品ベンダー
・
クラウド
サービス
事業者
コーディネート

私のビジネスモデル

ＩＴ屋のライフシフトに必要な考え方は「脱会社」

ＩＴ屋はいま在籍している会社の枠を越えて、一人のＩＴ屋として自分自身の人生設計について考えていくべきである。

とはいえ、会社員であることが一般的であるＩＴ屋が、自分自身でこれからのキャリアについて、いますぐ考えることは容易ではない。だが、この状況に手をこまねいていては、時間だけが過ぎていき、自分のキャリアを変化させることはできない。あらためて、本書の最後にＩＴ屋ならではのライフシフトのポイントをお伝えしたい。

会社に自分を合わせてはいけない

ＩＴ企業に入社する、もしくはユーザー企業のＩＴ部門に配属されるなど、読者のみなさんがＩＴ屋になった経緯はさまざまだろう。そして多くは、会社が命じた配属先の1つとして、いまのスキルを身につけてきたのである。さらには、自らが望んでいないキャリアパスであっても、「会社の命令」として頑張ってきたのである。

にもかかわらず、会社はITトレンドの変化を理由に、「売れない」「時代遅れ」と技術者に烙印を押してくるのである。そして、ともすれば自己責任とばかりに、会社からの退場を命ずることすらある。

これではあまりにも会社都合がすぎるではないか。終身雇用が崩壊したいま、あなたがこのように無責任なキャリア形成を行う会社にいるのだとすれば、このまま流されていいわけはない。

自分のキャリア形成に会社を利用する

これからは、いままでのように会社にキャリアを決めてもらう（決められてしまう）のではなく、自分自身でキャリアプランをしっかり決めたうえで、その実現手段として、在籍している会社を利用するということを考えてほしい。

そこでやはり重要なのは、CHAPTER3で説明した「三方よしアプローチ」の1つである「営業力」なのである。

つまり、自分の技術力・スキルを明確にしたうえで、それを会社に売り込み、新たなチャレンジができる機会を自ら勝ち取っていくのである。例えば、人事評価や上司との面談の際に、自分が得意とする技術やスキルを相手のメリットを意識しながらアピールするのも有効な手段である。

ＩＴ屋がライフシフトを成功させるポイント

本書では、ＩＴ屋のライフシフト術として、

- **ゼネラリスト志向**
- **三方よしアプローチ**
- **中長期プランニング**

の3つが重要であると説明してきた。そして、CHAPTER4で実際に5つのアウトプットから自分自身のライフシフトプランを作成してもらった。

しかし、「実行してみたがうまくいかない」という声も当然ある。また、時間が経つにつれて、当初立てたライフシフトプランが変更になる場合もある。そのようなときはあきらめず、5つのアウトプットを見直し、追記・修正を行い、ライフシフトプラン自体の軌道修正をためらわず行ってほしい。そして、自分の「技術力」「営業力」「管理力」に磨きをかけながらキャリアをブラッシュアップしていく。これを中長期にわたって繰り返し実行することで、自分で描いた人生のライフシフトを現実のものに近づけていくのである。

本書を手に取っていただいたみなさんは、ＩＴ業界で長年活躍されて、いま、人生の岐路に立ち、新たな活躍の場を模索しているのではないだろうか。本書はＩＴ業界での私自身のさまざまな経験や思いも踏まえて、同じような悩みを持つシニアＩＴ屋のライフシフトの一助となればという思いで執筆した。本書が変化を恐れず歩み進み続けるみなさんの道しるべとなることを、願ってやまない。

■著者紹介

わたなべ　ゆたか
渡部 豊

合同会社オフィスWATA代表社員・CEO。

同志社大学卒業後オージス総研にシステムエンジニアとして入社し、日本オラクルに約12年、デロイト トーマツに約8年在籍。デロイト トーマツ在籍中に日経BPムック『企業を成長に導くリスク管理経営』を主筆。

この他にも複数のユーザー企業に籍を置き、ITで解決が難しい需要と供給の著しいギャップを肌で感じ、「会社員では考えた理想が実現できない」と起業を決意。

2019年2月、52歳で合同会社オフィスWATAを設立。

以来、フリーランスのITコンサルタントとして各種プロジェクトに従事するかたわら、これまで仕事をともにしてきた約500社、3,000名以上におよぶIT企業、ITエンジニアとかかわった経験をベースに、「IT屋（ITエンジニア）がいくつになっても活躍できる場を提供する」「日本のIT業界が「多重請負構造」（人月主義）から脱却し魅力ある業界にする」ことを目指し、精力的に活動中。

編集担当：吉成明久 / カバーデザイン：秋田勘助（オフィス・エドモント）
企画・編集　株式会社ツークンフト・ワークス / DTP　スタヂオ・ポップ

DX時代のITエンジニアのライフシフト

2023年1月18日　　初版発行

著　者　渡部豊
発行者　池田武人
発行所　株式会社　シーアンドアール研究所
新潟県新潟市北区西名目所4083-6（〒950-3122）
電話　025-259-4293　　FAX　025-258-2801
印刷所　株式会社　ルナテック

ISBN978-4-86354-402-4 C0036